Argraffiad cyntaf: Mai 1989

ISBN 0 905775 98 8

Dymuna'r cyhoeddwyr gydnabod cymorth a chyfarwyddyd Adran
Olygyddol y Cyngor Llyfrau Cymraeg a noddir gan Gyngor
Celfyddydau Cymru.

Cysodi a chynllun y clawr: Stiwdio Mei
Argraffu:
Argraffdy Arfon

Cyhoeddwyd gan

Cyhoeddiadau Mei
Penygroes, Caernarfon, Gwynedd.

Dyddiau Teisen Bwdin

GRACE ROBERTS

12 O STRAEON BYRION

I DENNIS am ei anogaeth

Cynnwys

Troseddwr 13

Tân 19

Terfysg 27

Ofn 33

Dyddiau Teisen Bwdin 41

Dyddiau Dedwydd 47

Blodau Oren 51

Ffarwél Febyd 55

Ysgariad i. Iwan 61

Ysgariad ii. Medi 69

Ysgariad iii. Peredur 77

Treftadaeth 83

DIOLCHIADAU

Carwn gydnabod fy niolchgarwch i'r canlynol:

I Lys Eisteddfod Môn am ganiatâd i gyhoeddi 'Troseddwr', 'Tân', 'Terfysg' (Straeon y Fedal Ryddiaith, Bro'r Frogwy 1988).

I Lys yr Eisteddfod Genedlaethol am ganiatâd i gyhoeddi 'Treftadaeth' (Llanbedr Pont Steffan 1984), 'Ofn' (Porthmadog 1987) a'r trioled, 'Ysgariad: i. Iwan, ii. Medi, iii. Peredur' (Casnewydd 1988).

I Eisteddfod Dyffryn Ogwen am roi cychwyn calonogol i mi ar ddechrau'r 80au gyda 'Blodau Oren' a 'Dyddiau Dedwydd', a gyhoeddwyd wedyn yn 'Pais'.

I feirniaid yr uchod oll am eu geiriau caredig.

I'r Cyngor Llyfrau Cymraeg am bob cymorth.

I Meinir Pierce Jones am ei golygu graenus. Os erys unrhyw wallau, arnaf i fy hun y mae'r bai.

I Gyngor Celfyddydau Cymru: paratowyd y gyfrol hon tra oeddwn yn derbyn grant cynnal.

I Gyhoeddiadau Mei am eu ffydd ynof.

I'r teulu am eu cefnogaeth, a'u parodrwydd i ymdopi drostynt eu hunain pan fydd hi'n siang-di-fang yma!

Grace Roberts 1989.

Troseddwr

Eisteddai Sera Puw'n rhynllyd o flaen ei thân trydan. Un yn unig o'i dri bar oedd yn gweithio, ond pe buasai ganddi dân newydd sbon, ni allasai fforddio i ddefnyddio mwy nag un. Ymestynnodd ei dwylo dideimlad tuag at y bar a rhwbio'i bysedd du-las i geisio cyflymu cylchrediad ei gwaed.

Fel arfer, byddai tanllwyth o dân glo'n llenwi'r grât digalon y tu cefn i'r tân trydan. O leiaf, byddai ynddo danllwyth ben bore, yn syth ar ôl i Glenna'i gynnau. Yn ystod gweddill y dydd, rhaid fyddai i Sera fod yn ddarbodus gyda'r ddwy fwcedaid o lo a gludai Glenna i'r tŷ cyn tynnu llwch a mynd ymlaen at ei dafad gloff nesaf. Ni allai gyrchu chwaneg o'r cwt oherwydd pla'r cryd yn ei chymalau bynafog. Ond y bore yma, ni welsai arlliw o Glenna. Rhaid ei bod wedi'i tharo'n wael yn annisgwyl neu rywbeth. Mwy na thebyg y byddid wedi gofalu am rywun yn ei lle erbyn bore fory.

Bore fory 'roedd y bachgen yna i fod i gychwyn ar y peintio. Rhyw giaridým o ben arall y dref oedd wedi bod mewn helynt gyda'r heddlu. Rhynnodd Sera Puw gan fwy nag oerfel. Carchar oedd lle un felly, nid cartrefi hen bobl. Llawer gormod o hel esgus dros ddrwgweithredwyr y dyddiau hyn. Diffyg gwaith, meddai pobl. Gormod o amser ar eu dwylo a dim byd i'w wneud. Dim ond hel diod a malu a chwffio a dwyn. Ond sawl gwaith y buasai John ar y clwt yn y tridegau? 'D aethai John erioed i drwbwl, nac i ddyled, hyd yn oed. Os oedd pobl yn dlawd y dyddiau hynny, 'roedden nhw'n onest; yn barchus.

Paned o de i gynhesu, meddyliodd Sera. Pwysodd ei dwylo ar freichiau'i chadair i'w gwthio'i hun yn boenus ar ei thraed. Yn araf, ar bwys ei ffon, ymlusgodd tua'r gegin gefn i lenwi'r tecell. Ond cyn iddi gyrraedd y tap dŵr, clywodd guro ar ddrws y cefn. Trawodd y tecell ar y bwrdd a'i halio'i hun i gyfeiriad y drws. Fel y cyrhaeddai, gwelodd y glicied yn ysgwyd a safodd yn stond â'i chalon yn drybowndio. Pwy bynnag oedd yno, nid oedd ganddo hawl i geisio cerdded i'r tŷ. Rhoesai Sera allwedd i bawb a drystiai: Glenna, Ann Jones y drws nesaf a wnâi dipyn o siopio iddi, a Wil Parri Tŷ Pen a alwai o dro i dro rhag ofn y byddai angen atgyweirio rhywbeth. Penderfynodd beidio ag agor y drws.

"Musus!"

Llais ifanc.

"Musus, boi peintio sy 'ma."

Fory 'roedd o i ddechrau.

"Be ydach chi'i eisio?"

"Sgwrs ia. Gwbod be 'dach chi isio gneud."

Tybed? Ac eto, 'roedd hynny'n rhesymol.

"Arhoswch am funud." Cydiodd yn yr allwedd a hongiai ar hoelen ar y pared a datgloi'r drws yn nerfus.

Pwysai'r bachgen yn ddioglyd yn erbyn y lintel â'i ddwylo'n ddwfn ym mhocedi'i jîns. Gwisgai siaced ddenim yn agored dros grys chwys glas, a llun merch hanner noethlymun yn serennu oddi ar frest y crys gyferbyn â llygaid Sera Puw.

"Haia. Fi 'di Neville. Nev i'n ffrindia, ia." Gwenodd dan ddal i gnoi'i gŷm.

Cyn iddi lwyddo i ddygymod â phowldrwydd y ferch noethlymun, cafodd Sera ysgytwad arall wrth godi'i golygon yn uwch. Yr oedd dwy ochr pen y llanc mor foel a llyfn â phen-ôl babi, a chrib ceiliog o wallt wedi'i lifo'n wyrdd a choch yn tyfu'n un gwrychyn o frig ei dalcen i'w wegil. Agorodd Sera'i cheg fel pysgodyn ar fygu. Ymsythodd Neville.

"Well i fi ddŵad i fewn, ia Musus? Gewch chi annwyd wrth sefyll yn drws. Ma' hi'n oer."

"Mi fydd raid i chi, debyg."

Dododd Sera'r allwedd yn ddiogel yn ei phoced, a dilynodd Neville hi i'r tŷ gan gau'r drws ar ei ôl.

"'Dach chi isio help?" gofynnodd wrth ei gweld yn ymdrechu i ddringo'r ddwy ris o'r cyntedd i'r gegin. Gafaelodd amdani a rhoi hwb gref iddi. "Gin fi nain," ychwanegodd. "Ma' hi'n fusgrall hefyd."

"'Dwi'n iawn," meddai Sera'n sarrug. Oedodd. Teimlai'n gyndyn o'i wahodd drwodd i'r gegin orau, ond byddai'r ddau

14

wedi fferru yn y gegin gefn. Sylwodd Neville ar y tecell ar y bwrdd wrth ei hymyl, ymhell oddi wrth ei gynffon ger y plwg trydan.

"Isio llenwi hwn 'dach chi? Isio panad?"

Sylwgar iawn. Llygadu i bob twll a chongl, mwy na thebyg, i chwilota am bethau gwerth gweld ei wyn arnynt.

"Bydda i ddim chwinciad â gneud panad. Lle ma' mỳgs chi?"

"Mi fedra i 'neud panad fy hun," meddai Sera.

Gwenodd Neville. "Indipendant, 'run fath â Nain," meddai. "Dowch, mi fedra i sbario chi. Fydda i'n helpu Nain bob dydd." Agorodd ddrws un o'i chypyrddau a dod o hyd i gwpanau.

"Rhain 'dach chi'n iwsio? Dèlicet ia. Mỳgs cwpons petrol sy yn tỳ ni. Rŵan, lle ma'r *teabags* a siwgwr a llefrith?"

Aeth ati i chwilota mewn cwpwrdd arall a dechreuodd Sera Puw golli'i limpin. 'Roedd o mor bowld â'r ferch ar ei siwmper.

"Hannar munud," gorchmynnodd. "Tynnwch eich pump oddi ar fy mhetha i!"

Ymsythodd Neville a syllu'n gegrwth arni.

"Sori, Musus," meddai. "Dim ond helpu."

Teimlodd Sera'n annifyr.

"Ylwch, 'dydw i ddim yn eich 'nabod chi, nac ydw? Dyna sy. Well i ni drafod y peintio 'ma, 'dwi'n meddwl."

"*O.K. No sweat,*" gwenodd Neville dan gnoi fel hen fuwch. "Pam na 'newch chi ista? Eith ych coesa chi i frifo."

Erbyn hyn, teimlai Sera'n oer yn y gegin gefn a gwyddai mai symud at y tân a fyddai raid, er ei gwaethaf.

"Mae hi'n gynhesach yn y gegin ora," meddai, a hercio drwodd gyda Neville wrth ei sodlau.

"Dim llawar," sylwodd Neville. "Fyddwch chi'n cael heipoffyrmia. Sgynnoch chi ddim tân iawn."

"Hôm help heb ddŵad," cyfaddefodd Sera ar hyd ei thin.

"*Dead loss,*" meddai Neville, "Fi fydd yn dechra tân Nain bob dydd. Lle ma' cwt glo chi?"

"Hidiwch befo," atebodd Sera. Buasai'n d'rofun cael Wil

15

Parri i roi clo newydd ar y cwt ers tro. Gallai plentyn bach dorri i mewn iddo ar hyn o bryd, heb sôn am hen law fel hwn.

Cododd Neville ei ysgwyddau.

"Ar chi ma'r bai. Faswn i ddim cachiad â gola fo." Cynorthwyodd Sera i eistedd heb sylwi ar yr effaith a gawsai ei eirfa ar ei hwyneb.

"Reit, Musus. Be 'dach chi isio i fi 'neud i chi? Rŵm yma ia? Ma'r papur 'na'n hongian yn fan'cw."

"Ydach chi wedi papuro o'r blaen?"

"Do. Helpu'r hen ddyn adra. Ac yn tŷ Nain, ia."

Gwell na dim. Gobeithio'i fod o'n gwybod sut i fatsio. Tân ar ei chroen oedd gorfod cymryd rhywun fel hwn i bapuro.

"Dyna chi 'ta. Mae gwraig drws nesa wedi dŵad â'r papur a'r paent i mi. Papur plaen gwyrdd gola ar y parad 'gosa at y gegin gefn, a pheth patrwm ar y parwydydd eraill. A pheintio'r coed a'r nenfwd yn wyn."

"Seiling 'di hwnnw, ia? Chi'n gwbod be 'dach chi isio, 'dydach?" Daeth gwên edmygus i wefusau rwber Neville. "'Dwi'n siŵr fasach chi'n giamstar ar papuro hefyd, tasach chi'n 'fengach."

Er ei gwaethaf, teimlodd Sera Puw'n falch o'i edmygedd, a dechreuodd ei gwefusau ymateb yn gyndyn i'w wên.

"Fi fydda wrthi cyn i'r hen gryd cymala 'ma fynd mor ddrwg."

"'Sgynnoch chi neb i 'neud rŵan, nac oes? Dim hogia?"

"Un. Tom. Mae o yn Awstralia ers ugian mlynadd."

"O! Bechod. Pell yndi? Diawl lwcus hefyd! Faswn i'n rhoid rwbath am gael mynd i Ostrelia. Haul braf a lan môr rownd y rîl. Ella faswn i wedi cael mynd pan oeddan nhw'n gyrru conficts yno, ella? *No worries, mate!*"

"Meddwl basach chi wedi bod mewn trwbwl tasach chi'n byw'r adag honno hefyd, felly?"

"'Dwn 'im. Dipendio pa mor ddrwg fasa petha, ia."

"Mae petha'n o ddrwg rŵan, mae'n rhaid."

"Ydyn. Dim job. 'Di ots gynnoch chi? Jêlbyrd yn gneud ych peintio chi?"

"Ydach chi wedi bod yn y carchar?"

"'Di bod i lawr unwaith, ia. Tro cynta, probeshion ges i, pan daru fi dwyn ffags o garej Tyrpeg. Yn 'rysgol oeddwn i adag honno. Ond pan dwgodd fi a 'mrawd fideo o siop Berry yn dre ces i jêl.''

"A dyma chi mewn dŵr poeth eto. Pam, deudwch?"

"Angan petha, ia. A dim pres. Dyna be sy bob tro."

"Pa *angan* fideo sy ar neb?"

"Er mwyn Mam daru fi dwgyd hwnnw. Oedd 'i pen-blwydd hi. Fforti. Basach chi'n meddwl bod y byd ar ben. Daru Kev a fi penderfynu codi'i chalon hi. Ond oeddan ni ddim digon ciwt i'r slobs. Dim 'di dallt bod 'na nymbars ar petha fel'na nes i'r hen ddyn 'cw ddechra damio. Daru nhw copio ni d'wrnod wedyn cyn i ni gael *chance* i trio fflogio fo. Gwbod yn well rŵan. Dysgu lot yn y nic. Gormod. Ew, ma' 'na ddiawlia'd yno. Nic yn ddrwg i chi, Musus.''

"Wnaeth o fawr o les, beth bynnag, a chitha mewn trybini am y trydydd tro."

"Chi'n *dead right* yn fan'na," meddai Neville yn ddigalon. "Lwcus ces i mo'n gyrru i lawr eto. *Community service* lot gwell. Fedra i helpu chi, a gwbod bod fi tipyn bach o iws."

Teimlodd Sera Puw ei chalon yn dechrau toddi ac ymdrechodd i'w chaledu unwaith eto. Wedi'r cyfan, yno oherwydd iddo dorri'r gyfraith yr oedd y llanc.

"Pam na chawsoch chi ddim carchar y tro yma?" gofynnodd braidd yn chwyrn.

"'Dwn 'im. Majistrets cleniach ella," atebodd Neville. "Neu achos pam 'nes i ddwyn. Achos y babi 'te."

"Babi pwy?"

"Babi fi, siŵr. Fi a Michelle."

Mawredd y byd! Prin allan o'i glytiau 'roedd o ei hun.

"'Rydach chi'n ifanc i fod wedi priodi."

"Dim pr'odi, naci, jyst shacio fyny hefo'n gilydd. Michelle 'di *girlfriend* fi ers oeddan ni yn 'rysgol. Daru ni cael *winter let* ar garafán i ddechra, ond oedd hi'n gythreulig o oer yno a buo raid i ni symud pan dechreuodd amsar fusutors. I tŷ ni. 'Rhen ddyn yn trymps, *fair play*. Ond oes 'na dim lle i rhechan acw rhwng pawb, ia. Felly daru ni penderfynu cael babi er mwyn cael tŷ cownsil. Gafodd ffrind Mish dŷ er bod hi wedi splitio hefo'i blôc. Jyst hi a'r babi.''

Onid oedd y byd wedi newid, meddyliodd Sera Puw. Ers talwm, cael eu troi dros y trothwy fyddai tynged greulon mamau plant siawns. Ddoe, colli cartref: heddiw, ennill un.

"Gynnon ni jyst digon o points rŵan," meddai Neville, "achos ma' tŷ ni'n *overcrowded* ofnadwy hefo Scott bach, a ma' fo'n cael *croup* felly fiw i ni fynd yn ôl i'r garafán.''

"'Roeddach chi'n mentro'n ofnadwy'n dwyn. Be tasach chi wedi cael carchar, hefo babi a gw... ei fam gynnoch chi i ofalu amdanyn?''

"Dwyn iddyn nhw 'nes i, Musus. Wir rŵan. Ydi'r grant babi dim agos digon a oedd Mish isio pram cynnas i Scott, hefo'r hen *croup* 'na a bob dim.''

"Dwyn pram?''

"Esgob naci. Baswn i byth yn dwyn dim gin babi bach, na hen bobol. Bachu pres o til yn rhyw siop 'nes i. *Spur o' the moment* pan 'nath y ddynas troi'i chefn, ia. Daru nhw dal fi cyn bod fi rownd gongol jest iawn.''

Ysgydwodd Sera'i phen.

"Dim dysgu ar rai pobol, oes 'na?''

"Oes mae, Musus. 'Dach chi'n iawn. Gin fi plentyn bach rŵan a bydd o ddim isio'i dad yn jêlbyrd. Rhaid i fi feddwl amdan fo a Michelle, bydd?''

Amneidiodd Sera.

"Bydd, Neville. Peidiwch chi ag anghofio hynny.''

"*No way*. Sbïwch, rhaid i fi fynd rŵan. Wedi gaddo newid ffiwsys i Nain. 'Dach chi isio i mi 'neud rwbath i chi cyn mynd?''

Gwyliodd Sera Puw ef yn ymddatod o'r gadair yn un sgilffyn main, tal. Neidiodd ei golygon dros y ferch a dorheulai ar ei frest, gan aros cyn cyrraedd y crib ceiliog. Syllai dau lygad glas consyrnol i'w llygaid hi.

"Ella basach chi'n estyn y te," meddai braidd yn lletchwith. "A choelia i byth na fasa llygedyn o dân yn eitha derbyniol.''

Gwenodd Neville a phatio'r bysedd diffrwyth ar fraich y gadair.

"*No sweat*, Musus," atebodd.

Tân

"Diolch byth am danllwyth o dân. Mae hi'n niwl damp dopyn allan 'na. Manceinion ar ei mwya cyfeillgar."

Ymollyngodd Gareth i'r gadair esmwythaf yn y tŷ a golwg luddedig arno.

"Mi wna i banad i ti," meddai Mai. "Fydd dy de di fawr o dro yn y meicro. Oedd hi'n anodd gyrru?"

"Gynddeiriog. Gweld dim pellach na 'nhrwyn. Gefaist ti draffarth i ddŵad adra?"

"'Doedd hi ddim cynddrwg ganol y pnawn. 'Rydw i'n diolch rŵan na chym'rais i ddim swydd lawn-amsar. Faswn i wedi gneud dim ond poeni petai'r plant yn cyrraedd o'r ysgol i dŷ gwag ar ddiwrnod fel heddiw."

"Na, maen nhw'n rhy ifanc. Nes ymlaen hwyrach."

"Dim diolch. Mae pedair awr y dydd yn hen ddigon yn y twll swyddfa 'na."

"Chdi oedd eisio cael mynd allan o'r tŷ."

"Ia. Ond mae'r gwaith wedi newid cymaint mewn deuddang mlynadd. Cyfrifiaduron ydi pob peth bellach. Gneud i rywun deimlo fel morwyn bach i ryw blincin peiriant."

Gwenodd Gareth.

"Y peirianna ydi'r gweision a'r morynion. Hwyluso gwaith y cwmnïa. Mae'r siop acw'n berwi hefo nhw. A sôn am ferwi, tyrd â'r banad 'na, gwael!"

Wedi i Mai fynd drwodd i'r gegin, rhwbiodd ei lygaid yn flinedig a thaflu cipolwg ar y cloc. Wyth o'r gloch, a'r siop wedi cau ers hanner awr wedi pump. Penyd cyfrifoldeb Rheolwr Cyffredinol. Aethai dros ugain mlynedd heibio bellach ers iddo gychwyn, yn syth o'r ysgol, fel glas-reolwr ar lawr dillad y stôr adrannol, ac yn ystod y ddau ddegawd chwim gyrasai ei uchelgais arno fel chwip marchog, gan ei annog o adran i adran ac o ris i ris drwy gyfrwng gwaith caled ac astudiaeth galetach. I sgolor digon peth'ma, profodd y

19

cyrsiau busnes a'r arholiadau rheolaeth yn anodd i'w concro. Ond yr oedd ynddo benderfyniad fel dur, a llwyddodd drwy ddyfal donc i gyflawni'r uchelgais a fuasai'n ei symbylu, sef rheoli un o ganghennau mwyaf y cwmni cyn bod yn ddeugain oed.

Dychwelodd Mai i'r lolfa.

"Tyrd i'r gegin am dy banad. Fydd y bwyd fawr o dro."

"Lle mae'r plant?" gofynnodd Gareth wrth ei chanlyn.

"Yn eu llofftydd. Ceri'n cysgu, Nerys yn darllan, ac Aled yn ymdrechu'n llafurus hefo'i Fathemateg. Gofyn ers meitin pa bryd y dôi Dad adra i'w helpu o."

"O diar!" Eisteddodd Gareth wrth y bwrdd a drachtio'i de. "A Dad yn hwyrach nag arfar. Ar y niwl 'roedd y bai."

"Peth o'r bai, dywad di'r gwir," meddai Mai. "Mae'n amhosib cael pryd o fwyd yn un teulu yma a finna byth yn gwybod pa bryd i dy ddisgwyl di. 'Rydan ni wedi hen fwyta ers meitin."

"Pris llwyddiant. 'Dydi o fawr i'w dalu o gofio bod y swydd yn prynu cystal safon byw i ni."

"Colli cwmni'n gilydd? Dim amsar i gynorthwyo dy blant?"

"Mi fasan yn cwyno digon petai'u gwersi marchogaeth nhw'n peidio. Neu petaen nhw'n gorfod treulio pob gwylia ym mwthyn Dewyrth Ifan fel yr ha' dwytha, yn lle yn Tenerife neu rywla."

"Bwthyn Dewyrth Ifan! Mae 'ma lythyr i ti o Sir Fôn." Cododd Mai i estyn yr amlen oddi ar y dresel iddo.

"Y dyn clirio tai wedi gorffan ei waith, debyg," meddai Gareth dan ei hagor.

"'Rydw i'n dal i gael pigiada gan fy nghydwybod, Gareth. Gwerthu ei ddodrefn o i gyd fel'na heb ddidoli dim; cadw dim."

"Mai bach! 'Doedd 'na ddim gwerth ei gadw! Mi wyddost yn iawn na fedren ni ddim dŵad â stwff yn fyw o dylla pryfaid i'n tŷ ni. Pe bai yno betha gwerthfawr mi fasan wedi'u colli nhw i ladron cyn i'r hen greadur oeri."

"Fuo 'na rywun yn gweld y tŷ, tybad?"

"Amheus gen i. Mi fasa'r asiant wedi gadael i ni wybod."

"Biti bod rhaid i ni werthu hefyd."

"Be ydi'r iws cadw rhyw gwt o le yng nghanol cors fel Bryn Afon? Mi wyddost yn iawn mai haul sy ar rywun ei angan ar ôl gaeafa Manceinion."

"Gwadu dim," atebodd Mai gan roi'i fwyd o'i flaen. "Dim ond mai Bryn Afon ydi'n cysylltiad ola ni â'r hen fro."

"'Rwyt ti'n bownd o deimlo mwy na fi, mae'n siŵr. Wedi dy fagu yn yr ardal. Manceiniwr o'r groth ydw i, 'te?"

"Lwc i mi bod dy wreiddia di yn Sir Fôn."

Tynnodd Gareth hi ato a'i chusanu rhwng fforceidiau o datws.

"Petai Taid a Nain yn byw yn Iwerddon ers talwm, rhyw *colleen* bach dlos fasa gen i, debyg."

"Wel diolch nad oeddan nhw ddim! Er i mi orfod dy ganlyn di i dwll y mwg."

"'Does gen ti fawr o gariad tuag at y ddinas ar ôl mwy na phymthang mlynadd, nac oes?"

"Ddim felly. Ond lle bynnag byddi di, boio..."

"Allwn i feddwl, wir." Cymerodd arno wgu arni.

"Mae'n gas gen i feddwl am dorri'r llinyn ola 'run fath. 'Doedd gan neb arall ei dŷ ei hun i'w adael, nac oedd? Pe bai Dad a Mam yn dal yn fyw, neu dy daid a nain, mi fasa lai o ots gen i weld Bryn Afon yn mynd."

"Pwy ond hen Graig yr Oesoedd fedra'u claddu nhw i gyd 'te? Meddylia amdano fo'n slafio a chrafu i brynu'r ffarm 'na, a dal i ffarmio nes cyrraedd ei bedwar ugian. Er ei waetha'n ei ddannadd y gwerthodd o'r tir wedyn. A Duw a ŵyr sut medrodd o ddygnu byw yn y tŷ heb help, mor styfnig â hen ful, nes cyrraedd ei ddeg a phedwar ugian. Fedra neb arall, ddyffeia i!"

"Beth am ei unig-anedig or-nai?"

"'Dydw i ddim yn styfnig."

"Nac wyt. Dim ond pengalad!"

"Dyfalbarhaus. Mae hynny'n swnio'n debycach i rinwedd. Hwyrach mai dyna pam gadawodd o Bryn Afon i mi."

"'Doedd gynno fo neb arall, nac oedd? Ddim ar ôl i ti golli dy dad a dy fam."

"Mi alla fod wedi'i adael o i'r Cyfundab fel gwnaeth o hefo'i bres. Y capal oedd ei fyd o."

Gwenodd Mai'n freuddwydiol.

"Hwyrach mai am i ti 'mhriodi fi cefaist ti Bryn Afon."

"Dos odd 'na!"

"Hogan bach Ysgol Sul yn plesio ar dy gyfar di. Fi fydda'i ffefryn o yn y dosbarth ers talwm. Hen ddyn ffeind oedd o. Llond ei bocad o betha-da i ni bob amsar."

"Mi deimlaist ti fwy na fi pan aeth yr hen Ifan, yn do? Er mai fi oedd yn perthyn."

"Fi oedd yn ei 'nabod o ora, perthyn neu beidio. Arfar mynd yno i nôl wya bob wythnos pan fyddwn i'n hogan bach, byddwn? 'Roedd meddwl am yr hen greadur yn gorfadd yn fan'no ar y llawr am oria cyn i neb gael hyd iddo fo'n brifo."

"Dangos ei fod o'n wydn i fyw am fisoedd wedyn."

"Mi fasa'n well gan Dewyrth Ifan gael bod wedi mynd ym Mryn Afon na gorfod treulio'i fisoedd ola yn yr ysbyty'n methu gneud dim drosto'i hun."

"Un sentimental wyt ti, Mai."

"Rhyfadd meddwl ei fod o wedi'i gladdu ers blwyddyn. Oes raid i ni werthu Bryn Afon, o ddifri? Mi ddaru pawb fwynhau aros yno'r ha' dwytha."

"'Roedd raid i ni aros yno'r ha' dwytha, 'doedd? I glirio. Be wnaem ni hefo tŷ ha'? Hwyrach mai tanio dros Gymru fydda'i dynged o a'r lle mor ddinab-man. Er mai Cymry fydda'r perch'nogion."

"Mi all Cymry ar wasgar fod yn fwy o felltith na Saeson."

"'Dydan ni'n gneud dim drwg."

"Gneud dim lles chwaith."

"Magu trydadd genhedlaeth o alltudion yn Gymry. 'Dydi hynny ddim yn hawdd."

Ar y gair daeth cri o ben y grisiau.

"Dad! *I can't do this Algebra.*"

"Ydan ni?"

Aeth Mai i'r cyntedd a dweud yn ddistaw:

"Paid â gweiddi, Aled, rhag ofn i ti ddeffro Ceri. Mi ddaw Dad atat ti mewn munud."

22

"Deud iddo fo brysio, Mam. Fi wedi blino," meddai Aled.

"Nid eisio cadw Bryn Afon 'rwyt ti," cyhuddodd Gareth wedi i Mai ddychwelyd i'r gegin. "Eisio mynd yn ôl i Sir Fôn."

"Wedi rhoi'r ffidil honno yn y to ers talwm," atebodd Mai.

"Yn y to bydd raid iddi aros hefyd. 'Dydw i ddim wedi ymdrechu am flynyddoedd i golli'r cwbwl."

"Na. Na, mi wn i hynny. Ac eto..."

"Waeth i ti heb, ddim."

"Busnas bach? Ei gadw fo hefo'n gilydd?"

"A phobol Gogladd Cymru'n heidio yn 'u bwseidia i siopio yng Nghaer a Lerpwl ar ddydd Sadyrna? Mi fedar fod fel maes y 'Steddfod Genedlaethol yn ein siop ni, hyd yn oed, tua'r Dolig."

Ochneidiodd Mai.

"Chdi sy'n iawn. Fawr o ddyfodol i ni na'n plant yn Sir Fôn, mae'n siŵr. Dos i fyny at Aled, Gareth, iddo fo gael mynd i'w wely. Mi gliria i'r llestri; wedyn mi gawn ni banad yn y lolfa. Waeth heb â gwastraffu'r tân ar ôl i mi fynd i draffarth i'w gynna fo."

"*Mae* cysur mewn tân glo," meddai Gareth toc uwchben ei goffi. "Nwy fydda acw ers talwm."

"Gweld dy gollad, cael dy fagu mewn dinas?"

"Paid â dechra eto, Mai."

"O'r gora. Ond cofia bydd raid i ni fynd i Bryn Afon i llnau tipyn rywbryd. Mi fydd yno lanast ar ôl symud y dodrefn."

"Wn i be wnawn ni. Mi gym'rwn ni wylia bwrw Sul yng ngwesty'r Dorlan. Mi fedra'r plant nofio neu wylio'r teledu yn y gwesty tra bydden ni'n gweithio. Fydden ni ddim yn hir."

"Gwych! Ffônia'r Dorlan y munud 'ma."

Yr oedd arwyddion gwanwyn yn y tir fel y teithiai'r car tua Môn ymhen pythefnos. Fore Sadwrn, trechodd yr haul atyniad set deledu mewn llofft foethus, a dŵr cynnes pwll nofio dan do. Cofiodd Aled am y coed y buasai'n crafangu i'w pennau yn yr haf, a Nerys a Ceri am y sbloet o gennin Pedr a eurai'r llain ddydd angladd Dewyrth Ifan. Gwyliodd Mai'r genethod yn casglu dau dusw o'r clychau babi.

"Mi fasan wrth eu bodda'n cadw ceffyl bob un yn y llain."

"Mai! Tyrd yn dy flaen i mewn neu ddown ni byth i ben."

Datglôdd Gareth y drws a dilynodd Mai ef yn betrus i ganol moelni trist y tŷ. Yr oedd y llawr cerrig, a sgleiniai Dewyrth Ifan mor egnïol pan oedd yn ei breim, yn drybola o fwd oddi ar wadnau esgidiau'r dynion clirio, a'r dodrefn coll wedi datgelu haenau o bapur wal o gylch clytiau o gerrig noeth ar y parwydydd.

"Symudodd o erioed mo'r cwpwrdd gwydr," meddai Gareth. "Papuro o'i gwmpas o."

"Ia. Ac edrycha tu ôl i'r cwpwrdd llyfra lle bydda'r esboniada. Mae'r papur yna'n mynd yn ôl ganrifoedd!"

"'Doeddwn i ddim yn disgwyl i'r dyn fynd â hwnna. 'Roedd o'n rhan o'r tŷ. Yma cyn Dewyrth Ifan. *Fitted cupboard!*"

"Wedi mynd mae o i ti. Ella'i fod o'n bren da. Diolch byth i ni gadw'r llyfra. Hwyrach mai'u llosgi gawsen nhw."

"Eu llosgi nhw wnawn inna hefyd oni bai amdanat ti, 'mechan i. Wel, waeth i ni afael ynddi ddim."

Aeth y ddau ati i sgwrio tra difyrrai'r plant eu hunain yn y llain. Toc, edrychodd Mai drwy'r ffenestr.

"O Gareth! Edrycha arnyn nhw'n mwynhau rhedag a rasio yn yr awyr iach."

"A chofia ditha amdanyn nhw'n mwynhau sglefrio yn y rinc, a theatr y plant, a chant a mil o weithgaredda'r ddinas."

"O'r gora. Dim ond dal sylw. 'Rydan ni wedi dŵad i ben yn o dda rŵan. Well i ni gadw noswyl?"

"Iawn. Mi losga i'r hen bapura da-i-ddim yma oedd wedi dŵad drwy'r post cyn i ni fynd."

Edrychodd Mai i gyfeiriad y grât lle'r arferai fflamau leibio huddygl y simnai gan Dewyrth Ifan ym misoedd y gaeaf. Bob gwanwyn, rhôi'r gorau i wneud tân a chuddio'r grât â hen stôf baraffîn a gynheuai pan fyddai angen torri ias y noswithiau. Aethai'r stôf baraffîn i ebargofiant gyda'r holl gelfi eraill, gan ddatgelu'r lle tân yn glir am y tro cyntaf er marw'r hen ŵr.

"Gwell i ti beidio. Mi allat danio dros Gymru dy hun."

Syllodd Gareth i'r un cyfeiriad â hi. Yn y grât, ar ddalen ddwyflwydd oed o'r *Herald*, swatiai clwstwr o gnapiau glo

24

mewn nyth dryw o briciau.

"Tân oer Dewyrth Ifan yn disgwyl i'w groesawu o adra," sylwodd Mai â'i llais yn llawn chwithdod. Gafaelodd Gareth yn ei llaw.

"Tyrd," meddai. "Mi awn ni i weld yr asiant tai."

"Ia. Dim angan hebrwng darpar-brynwyr rŵan a'r tŷ'n wag."

"Nac oes," meddai Gareth. "Ond ... Wel ... wyt ti'n meddwl o ddifri y bydda gan unrhyw un ddiddordab mewn cwt yng nghanol cors?"

Terfysg

Po uchaf y cwyd yr awyren, isaf yn y byd y sudda fy nghalon innau. Syllaf allan drwy'r ffenestr fach hirgul a gweld cyrion Paris yn mynd yn llai ac yn llai, yn llai na phentref Lego Jeremy. Plymia fy nghalon drwy'r awyr, yn ôl i'r gwesty a adawodd Eurwyn a minnau ychydig oriau'n ôl.

"Dim angen gwyneb fel ffidil, Mererid. Dyna ran waetha'r siwrne drosodd." Gafaela Eurwyn yn fy llaw yn ddirgel dan gochl ei bapur newydd. Cipiaf finnau hi oddi wrtho fel pe bai'i fysedd yn eirias.

"O. Fel'na mae'i dallt hi?"

Trof fy mhen draw ac edrych allan eto. Mae Paris wedi diflannu o dan y cymylau. Fy ngwerddon yn rhith.

"Mae popeth da'n dod i ben, Mer. Mymryn o ddifyrrwch oedd hyn i ni'n dau, dim mwy. Wiw iddo fo fod yn ddim mwy."

"Dim problem." Paid â gwneud yn dy drowsus, fy mhennaeth mwyn. Sonia i'r un gair am d'enw di wrth neb. Yr un gair am dy sleifio llechwraidd di o lofft i lofft, i gwpláu'r hyn ddechreuaist ti mor ysgafala uwchben y nodiadau llawfer ar ôl i bawb arall fynd adref. Daeth y wŷs i'r pencadlys i gwnsela â phenaethiaid ffyrm ffatri geir newydd sbon Caereirian yn y pwdin teim, on'd do? Hwylus iawn, yn enwedig y gorchymyn i lusgo d'ysgrifenyddes i'r cyfarfod pwysig. A honno, wedi chwe mis o dy fraidd-gyffwrdd cyfrin di, yn edrych ymlaen yn eiddgar am y trip â'i llygaid yn llydain agored, fel 'roedd hi wirionaf. Na, sonia i'r un gair.

"Wnest ti ddim mwynhau dy hun?" Braidd yn ansicr, am unwaith.

"Do." O do! Paid â phoeni, nid sen ar dy wrywdod di yw'r wyneb ffidil.

"Be sy 'ta?"

"Dim. Ond bod popeth da'n dod i ben, fel deudaist ti."

Y difyrrwch drosodd, a bywyd ar fin ailddechrau. Bywyd

27

yw gŵr ar stem nos ddiderfyn: yn y ffatri, hynny yw, nid yn y lle y dymunwn i iddo dreulio'i stem nos. Bywyd yw llawfer a theipio a llygaid-bach y bòs drwy'r dydd, a chyrraedd adref yn llipren o flinder am bump o'r gloch i dderbyn plentyn tair oed a babi blwydd gan nain sy'n fwy llipa fyth ac yn falch o gael cefnau'r ddau. Bydd ar ddarfod amdani wedi wythnos o'u hegni. Wythnos o ddihangfa i mi. Ond ydi, mae popeth da'n dod i ben. Yn ôl i dresi bywyd.

Bywyd yw poteli babi a chlytiau, byrgars a sglodion, bath a'r Smyrffs, cyn dechrau gwneud swper. Martin wedi codi am bedwar am de-brecwast o greision ŷd ac yn awchu am swper-cinio iawn cyn dechrau'i waith. Diwallu'i stumog ef a f'un i fy hun a thorri brechdanau'i gnwswd, a'i droi dros y drws i dreulio'i noson yn anwesu cyrff oer, di-ildio'r Peugeots: stem rownd y cloc i dalu hanner y morgais. Golchi llestri, golchi llawr, golchi dillad, golchi clytiau; yna fy ngolchi i fy hun cyn suddo i'm gwely i geisio adfywio ar gyfer diwrnod arall o slafio i dalu hanner arall y morgais.

"Mi ddaw cyfle eto."

Trof i wynebu Eurwyn. Llygaid-bach, fel arfer.

"Fawr o bwrpas."

"Oes angen pwrpas? Ffling bach sy'n rhoi blas ar fyw."

"Ffling sy'n pwysleisio diflastod byw."

"Nid diflastod ydi bywyd."

"Ddim i'r sawl sy'n medru hawlio'i ddifyrrwch."

"Hawlio? Sylwais i ddim i ti brotestio."

"Nid dyna'r unig bleser ddylai fod mewn bywyd."

"Ydi'r plesera i gyd ar goll o dy fywyd di?"

"'Does gen i ddim amser iddyn nhw."

"Gormod ar dy blât, on'd oes? Ddylet ti ddim gorfod gweithio'n llawn-amser a'r plant mor fychan."

"Eisio cael gwared â fi?"

"Paid â malu. Ti ydi'r ysgrifenyddes ora fu gen i erioed. Am bopeth." Mae'n closio eto.

"'Rwyt ti'n dechra codi pwys arna i, Eurwyn."

"Diolch yn fawr." Ymbellhau. Wedi'i frifo. Mae arna i eisiau'i frifo fo.

28

"Wedi d'eni i hawlio. Hawlio popeth da sy gan fywyd i'w gynnig: swydd, arian, cartre moethus, teulu hyfryd. A'u bradychu nhw bob cyfle gei di mor ddi-hid â lluchio sbwriel i fasged."

"Bradychu o ddiawl! Fyddan nhw ddim callach."

"Na fyddan?"

"Feiddi di ddim gollwng y gath o'r cwd."

"Pam lai? Gen ti mae cysuron bywyd. Ti sy raid dal d'afael. Fasa gen i ddim i'w golli."

"Fasa gen ti ddim i'w ennill chwaith."

"Pwy fasa eisio d'ennill di'r twyllwr? Nid fi oedd y gynta, mi wn i hynny."

"Iawn. 'Rydw i'n dwyllwr. Ond fedrwn i ddim bradychu neb ar fy mhen fy hun, fedrwn i? Pwy roddodd gydweithrediad gant y cant i mi? Mi fradychwyd dau deulu, on'd do, Mererid?"

"'Dydi fy mywyd teuluol i'n haeddu dim arall."

"Yr un ydi haeddiant pob teulu, waeth pa mor anodd ei amgylchiada. Mae gan bawb hawl i chwarae teg."

"Amhosib i ferched gael chwarae teg."

"O! Am losgi dy fra?"

"Paid â bod yn wirion. Chwarae teg fasat ti'n galw methu cael munud i ti dy hun? Wyt ti'n synnu i mi gythru i'r cyfle am wythnos i ffwrdd?"

"'Doedd dim rhaid i ti gythru i ddim byd arall. 'Roeddet ti mor flysig â finna, dywed di'r gwir. Os oes gen ti gydwybod dwys-bigog, pam daru ti gytuno?"

"Ffansi'r funud. 'Roeddet ti'n digwydd bod ar gael."

"Dallt ein gilydd felly, on'd ydan?"

Ydan ni? Waeth i ti feddwl hynny na pheidio. O hyn allan mi fydda i'n alltudio rhith ymwthgar dy lygaid-gafr di o realiti'r sosban datws, ac atgof melyster dy wên di o ddrewdod y bwced glytiau. Rhith ydi rhith a drewdod ydi drewdod. Mae'r naill o f'ôl i a'r llall o 'mlaen i.

Pwysaf fy mhen ar gefn fy sedd a rhythu drwy ffenestr yr awyren unwaith eto. Dim i'w weld ond cymylau: dûwch Daw'r stiwardes heibio i gynnig diodydd. O, am lowcio nes ei dal hi'n chwil gaib hyd ddiwedd y byd.

29

"Foneddigion a boneddigesau, dyma'ch Capten yn siarad."
Llais dwfn rhywiol yn atseinio drwy'r cyrn. "'Rydym yn
disgwyl ychydig o derfysg. Nid oes angen i chi bryderu, ond
a fyddwch cystal ag aros yn eich seddau a chau'ch gwregysau,
os gwelwch yn dda? Diolch yn fawr."

Terfysg! Beth mae hynny'n ei olygu? Edrychaf yn gynhyrfus
ar Eurwyn. Mae'n dechrau byclu'i wregys yn
hunanfeddiannol.

"Cau'r belt yna, Mer. Paid ag edrych mor ofnus. Fuost ti
'rioed mewn terfysg o'r blaen?"

"Unwaith bûm i mewn awyren o'r blaen."

"Dim angen poeni. Theimli di mohono fo. Mae'r jet yma'n
ddigon mawr i lithro drwyddo fo'n esmwyth. Meddwl dy fod
di wedi 'laru ar fywyd prun bynnag."

Gwena. Tynnu fy nghoes.

Ond mae o'n iawn. Pe bai'r awyren yma'n ffrwydro'n
filiynau o ddarnau mân a 'nghorff innau gyda hi, pa
wahaniaeth? Faint o grych a wnâi hynny ar ddyfroedd bywyd?
Fyddai gen i ddim bywyd ar ôl i boeni amdano. Dim bywyd
ar ôl i'm poeni i.

Dowcia'r awyren yn sydyn a llama fy nghalon i'm gwddf.
Yn reddfol, ymbalfalaf am law Eurwyn.

"Hei! Mae arnat ti ofn drwy dy din, on'd oes? Mae terfysg
yn beth cyffredin, Mererid. Mi ddown allan ohono fo toc."

Mae'n anwesu fy llaw. Gadawaf iddo fy mwytho, fy
nghysuro.

Os yw 'mywyd yn fwrn, pam y mynnaf fy nghysuro yn
wyneb angau? Nid oes ddiflastod mewn diddymdra.

Diddymdra. Ai dyna'n tynged? Ynteu llosgi?
Tragwyddoldeb o ddioddef heb ddifa. Teimlaf ias oer yn fy
ngherdded a chrynaf: rhywun yn sathru ar fy medd. Na,
fyddai gen i byth fedd.

"'Rwyt ti'n rhynllyd. Yfa hwn."

Brandi i gynhesu fy nhu mewn. Am nefoedd. Eurwyn a
minnau gyda'n gilydd am byth yn Nheyrnas Nefoedd. Lle
nad oes na gwra na gwreica. Gydag Eurwyn, o feddwl, beth
fyddai ar ôl?

30

"Heb ryw, heb ddim."

Yr efengyl yn ôl Eurwyn Jeffrey, gwaredwr diweddaraf y di-waith yng Nghaereirian. A'u gwragedd. 'Gwaith a gorffwys bellach wedi mynd yn un.' Trof i edrych ar ei wyneb. Mae'n syllu'n anghrediniol arnaf.

"Glywais i'n iawn?"

"Dibynnu be glywaist ti." Heb sylweddoli i mi feddwl ar uchaf fy llais.

"Diwinydda yn dy ddiod."

Clywed yn iawn? Go brin! Cablu yn fy niod: yn fy ofn. Mae'r arswyd yn f'ysu. O Dduw, maddau i mi. 'Dydw i ddim yn barod i farw. Ddim wedi gorffen fy ngwaith.

"Mae gen i blant."

"Plant? Oes, mi wn i. Paid â dechrau colli arni, wir Dduw. 'Dwyt ti ddim mewn peryg. Yli, mi fyddwn yn glanio mewn fawr o dro. Mi fyddi di'n iawn wedyn. Adre mewn pryd i'w rhoi nhw yn eu gwlâu."

Ond beth pe na bawn i ddim? Faint o grych a wnâi colli mam ar ddyfroedd eu bywydau hwy?

Dim! Dyna'r gwir. Dim iot. Mam Martin yn dod i'r adwy. Mae hi'n ifanc; ychydig dros ei deugain. Yn awchu am gael eu magu yn lle Mam tra bydda i yn y swyddfa, i'w difetha a'u troi'n grachach a fyddai'n tyfu i'w morgeisio'u hunain hyd ddiffygio. Y gnawes yn cwyno bod Mam yn rhy hen...

Ond mae Mam *yn* rhy hen... A'r plant yn haeddu sylw... A chariad. Cariad mam.

'Roedd Eurwyn yn iawn pan ddywedodd o fod gen i ormod ar fy mhlât. Fedra i ddim rhoi chwarae teg i Jeremy a Jennifer a gweithio. Bai'r swydd ydi'r blinder, nid eu bai nhw; ond nhw sy'n cael blas fy nhafod i o hyd.

"Eurwyn. Mae gen i rywbeth i'w ddweud."

"Ffeiar awê."

"'Rydw i am ymddiswyddo."

"Ymddi...? 'Rwyt ti wedi colli arni o ddifri."

"Nac ydw. Wedi dod at fy nghoed."

"Y cydwybod Piwritanaidd yna wedi dy drechu di? Yli, mi fydda i'n ŵr bonheddig o hyn ymlaen. Dim bocha, 'dwi'n

31

addo. Dim angen aberthu swydd dda a thitha'i hangen hi.''

"Pob hogan yn gweddïo am dy weld *di* yn ei hosan fore Dolig, on'd ydi? Wnelo hyn ddim â thi. Gen i deulu.''

"Meddwl mai er eu mwyn nhw 'roeddet ti'n gweithio yn y lle cynta. Helpu cyllideb y gŵr; cartre teilwng i'r plant. Ac yn y blaen ac yn y blaen ac yn y blaen.''

Sbeit! *Hapusrwydd ydi byw'n gytûn mewn cwt sinc.* Y fath wreiddioldeb! Ond mae'n wir. Rhaid i mi ddwyn perswâd ar Martin. Stem ddydd a bywyd normal. Megino'r marwor. Ac i ddiawl â'i fam. I ddiawl ag Eurwyn Jeffrey.

"Foneddigion a boneddigesau. Eich Capten yn siarad. Os gwelwch fod yn dda, parhewch i aros yn eich seddau a'ch gwregysau ar gau. Byddwn yn glanio ymhen hanner awr. Mae'r tywydd yn Birmingham yn braf a'r awyr yn glir. Aeth y terfysg heibio. Gobeithiwn i chi gael gwyliau difyr neu drafodaethau buddiol, a siwrnai gysurus. Diolch yn fawr.''

"Paid â gwenu'n rhy fuan, Mererid. Mae'r glanio i ddod.''

Wedi newid dy diwn. Fedr dy falais di mo 'nychryn i bellach, bennaeth mwyn.

Aeth y terfysg heibio, chwedl y Capten.

Ofn

Ar brynhawn heulog o Fehefin, swatiai Manon mewn bedd hirgul o gegin gefn â'r drws a'r ffenestr ar gau. 'Roedd y llenni'n hanner cau hefyd, ond drwy'r bwlch rhyngddynt sleifiai digon o oleuni i'w galluogi i drwsio'i ffrog lanhau, yr un a wisgai bob bore wrth godi; yr un a wisgai drwy'r dydd pan na fyddai ganddi amynedd i ymolchi.

Heddiw, cawsai'i gorfodi i newid, gan iddi rwygo'r ffrog dan ei chesail wrth ymestyn am gwpan oddi ar silff uchaf y cwpwrdd llestri. Byseddodd y defnydd o bobtu'r rhwyg. 'Roedd mor frau â gwe pry cop: dim gafael ynddo o gwbl. Pan fyddai ganddi fodd, anfonai am ddilledyn newydd o'i chatalog a gwisgo un o'i rhai ail-orau o gwmpas y tŷ. Gallai dorri hon yn gadachau tynnu llwch wedyn. Ond ar ôl talu costau'r... Caeodd ei llygaid yn dynn a chreinsio'i dannedd i'w rhwystro'i hun rhag dilyn y trywydd hwnnw; yna anadlodd yn ddwfn am rai eiliadau cyn gadael i'w hwyneb gwelw ymlacio.

Heb yn wybod iddi, 'roedd wedi clensio'i dyrnau hefyd a sylweddolodd iddi rwygo chwaneg ar ei ffrog. Dan ochneidio, chwiliodd yn y fasged wnïo am nodwydd a rîl o edau wen. Yna rhoes hanner tro yn ei chadair a chibo drwy grau'r nodwydd i lygad y pelydryn a lwybreiddiai drwy'r hollt rhwng y llenni. Anelodd yr edau'n gynhyrfus i gyfeiriad y crau. Methodd. Â'i llaw'n crynu, gwlychodd hi â'i phoer a cheisiodd eto. Methu eto. Anadlodd yn ddwfn fel o'r blaen cyn rhoi cynnig arall. Y tro hwn, gwanodd yr edau wen grau'r nodwydd. Ymollyngodd Manon yn ôl ar ei chadair i wynebu pared di-fwlch y talcen, a chaeodd ei llygaid rhag y bendro.

Cyn iddi'u hailagor daeth cnoc ar y drws y tu cefn iddi. Meurig y siop gyda'r neges, meddyliodd. Danfon yn gynnar heddiw: 'doedd prin ddwyawr er pan ffoniodd ei harcheb iddo. Clustfeiniodd am sŵn y gliced yn codi a'r "Oes 'ma bobol?" cyfarwydd.

Cnoc arall. Rhyfedd. Hwyrach mai un o'r merched oedd yn danfon negesau heddiw.

"Dowch i mewn," gwaeddodd, "a chaewch y drws ar eich ôl."

Heb godi na throi, gwrandawodd am wich y drws yn agor.

"Ydach chi'n siŵr?"

Fferrodd Manon. Nid llais Meurig, na neb o'r cymdogion. Ond nid llais dieithr. O blith y llanast yn ei hisymwybod, llamodd hwn i'r wyneb yn llawer rhy hawdd. Ond ni allai droi i'w gyfeiriad.

"Caewch y drws," erfyniodd.

"*O.K.* 'ta."

Nid cyn i sicrwydd clep y drws ei dadmer y cododd i wynebu'r dyn.

"Pero?"

Llamodd ton o syndod i'w lygaid, yna gwenodd.

"Chlywais i mo'r enw yna ers ugian mlynadd," chwarddodd.

"Mae'n ddrwg gen i," meddai Manon dan frathu'i gwefus. "Chris."

"'Roeddach chi yn Ysgol Glan Llamwy, mae'n rhaid."

"Oeddwn."

"Ddylwn i'ch 'nabod chi, deudwch? Ynta fyddach chi ddim yn cymysgu hefo Peros y byd 'ma?"

"'Roeddwn i dipyn 'fengach na chi."

"'Feng...?" Daliodd ei dafod, ond gwelodd Manon ei lygaid yn crwydro dros ei mop o wallt cyrliog claerwyn. "Hogan bach go ddistaw oeddach chi, debyg. 'Dwi'n cofio'r rafins i gyd."

"Be ddaeth â chi yma?"

"O, diawl, ia. Sori. Injan y car sy'n berwi ar yr allt 'ma. Ga i jygiaid o ddŵr gynnoch chi?"

"C...car?" Tynhaodd ei hwyneb. "O, cewch. Cewch siŵr."

Estynnodd jwg fawr o'r cwpwrdd dan y sinc a'i llenwi o'r tap.

"Grêt. Mi ddo i â hi'n ôl mewn munud."

Agorodd Chris y drws i fynd allan a'i adael led y pen. Rhuthrodd Manon i'w hyrddio ynghau. Ychydig funudau'n ddiweddarach, agorwyd ef drachefn nes peri iddi neidio a chrafangu am gefn ei chadair.

"Caewch o!"

"Duw annw'l, ddynas, be haru chi 'dwch? 'Rydach chi fel gafr ar d'rana." Ond caeodd y drws a dodi'r jwg ar lawr.

"Ylwch, del, mae'n ddrwg gen i." Daeth tôn ychydig tynerach i'w lais. "Wn i ar y ddaear be sy'n eich corddi chi, ond siawns na fasach chi'n well o gael 'chydig o awyr iach. Dowch allan i'r haul am funud tra bydda i'n dandwn tipyn ar yr injan."

Aeth wyneb Manon cyn wynned ag amdo a theimlodd y poer yn sychu yn ei cheg.

"Allan? At y car? Na, na, fedra i ddim. Ar fy ngwir. Fedra i ddim dŵad efo chi."

Craffodd Chris arni am eiliad, yna'n llawn syndod, sibrydodd:

"Topsi!"

"Topsi," meddai eto, "chwaer bach Glyn Deryn Drycin! Y beth bach od hudolus honno hefo gwallt fel goliwog." Estynnodd ei law a chydio mewn cyrlen. "Y gwallt ddaru fy ffowndro fi, Topsi. Faint wnei di? Pymtheg ar hugian?"

"Ddim ymhell," sibrydodd Manon.

"Be ddigwyddodd i ti?"

"Dim. Dim byd."

Syllodd Chris yn feddylgar arni.

"Gwranda. Ga i ddiod gen ti? Rhywbeth oer. 'Roedd hi fel tân uffarn o boeth yn y car 'na."

Ceisiodd Manon ymysgwyd.

"Iawn. Cei."

"Ga i fynd drwodd i fan'cw i eistedd?"

Heb aros am ateb, diflannodd i'r ystafell ffrynt. Gwasgodd hithau'i gwefusau'n dynn a'i gorfodi'i hun i'w ddilyn gyda dau wydraid o oren. Cyn eistedd, tynnodd ychydig ar y llenni.

"F...fasa well gen i aros yn y cefn. Oes ots gen ti?"

"Oes. 'Stedda yn fan'ma hefo fi." Curodd Chris glustog y soffa â'i law. Yn anfoddog, ufuddhaodd hithau.

"Be sy, Topsi? 'Rwyt ti'n odiach rŵan nag y byddet ti cynt, 'rhen goes."

"Caeth ydw i 'te. I'r tŷ 'ma."

"Be? *Fedri* di ddim mynd allan 'lly? O gwbwl?"

Ysgydwodd Manon ei phen.

"Ond sut mae posib i ti fyw heb fynd allan? Beth am bres a bwyd a ballu?"

"Mrs Pritchard fydd yn nôl fy siwrans i, postio llythyra a phetha felly. Mae hi'n byw wrth droed yr allt."

"A bwyd?"

"Ffônio siop y pentra. Maen nhw'n danfon y negas."

Cododd Chris a chydio yn ei chatalog oddi ar y dresel.

"A dillad."

"Ia."

"Iesu bach. Am fywyd." Syllodd yn dosturiol arni.

"'Rydw i'n iawn," protestiodd Manon.

"Beth am y teulu? Glyn?"

Sgriwiodd Manon ei llygaid ynghau nes crychu croen ei hwyneb.

"Topsi?" Teimlodd ei law yn gafael yn ei hun hi wrth iddo gyrcydu o'i blaen. "Dywad wrtha i."

"Fedra i ddim."

"Tyrd yn dy flaen. Waeth i ti ddeud na pheidio. Dim ond wrtha *i*. Mi fydda i'n ôl yn Llundain mewn deuddydd: mae gen i fusnes i'w redeg a rhaid i mi'i g'leuo hi'n ôl yno, gynta medra i gael mymryn o drefn ar betha hen ewyrth i mi sy wedi marw yn y dre 'ma. 'D eith dy stori di ddim pellach, wsti."

"Mae pawb yn gwybod y stori."

"O. A phawb yn medru'i hwynebu hi, ond ti?"

Cododd ar ei draed yn sydyn a cherdded at y grât cyn tanio sigarét. Dan dynnu mwg yn galed, pwysodd ar y silff ben tân a syllu ar Manon.

"Oes 'nelo'r basdad brawd 'na sy gen ti rywbeth â hyn?"

Dim ateb.

"Mi fydda arnat ti'i ofn o, bydda?"

Plygodd Manon ei phen.

"Be wnaeth o i ti, Topsi? Glyn. Be wnaeth o?"

"D...dim byd."

"Rhyw *ddim byd* rhyfadd ar y naw."

"Dim byd yn fwriadol."

"Meddat ti."

Tynnodd Manon anadl ddofn yn ôl ei harfer pan geisiai ymreoli.

"Dŵad yma i'n nôl ni wnaeth o, Nhad a Mam a fi. Am wylia yn Birmingham, yn ei fflat o. 'Roedd o'i hun yn mynd i'r Canaries hefo rhyw gariad. Eisio rhywun i edrych ar ôl y fflat 'roedd o, mwy na thebyg."

"Ia?"

"Wrth fynd ar hyd y draffordd..." Oedodd a rhwbio'i thalcen â'i llaw. "Wrth fynd ar hyd y draffordd, 'roedd o'n gyrru fel ffŵl. Mi ddaru ni daro llen o niwl...lyri...*pile-up*."

Daeth Chris i eistedd ati.

"Eu lladd? Y tri?"

Amneidiodd Manon.

"Sut buo hi arnat ti?"

"Yn yr ysbyty am chwe mis. Mi fu raid i Sam Pritchard Tŷ'r Allt drefnu...wyddost ti, popeth."

"Whiw! A wedyn? Yma?"

"Ia."

"Dy hun? Yn syth?"

"Ia. 'Does gen i neb rŵan. Dim ond cymdogion."

"Sy'n mynd a dŵad i dy dŷ di fel fyw fyd fynnon nhw. Be wyddost ti pwy sy wrth y drws?"

"Nid Llundain ydi fan'ma."

"Naci, ond wedyn... Be wyddat ti gynna na allwn i fod yn rhyw Hwntw Mawr? Fedri di ddim mynd at y drws i'w agor, hyd yn oed?"

"Mi fyddwn yn trio ar y dechra. Ond 'roedd twrw'r ceir, ar yr allt. Ofn y ceir oedd waetha i ddechra. A 'does dim posib mynd odd 'ma heb gar neu fws. Fedrwn i ddim...A rŵan fedra i ddim mynd allan. Mae'u sŵn nhw drwodd yn fan'ma. Well gen i'r gegin gefn."

Cododd fel pe drwy'i hun a chychwyn tua'r gegin. Toc, dilynodd Chris hi.

"Be oeddat ti'n ei 'neud cyn y ddamwain?"

"Gweithio mewn swyddfa yn y dre."

"Ac ar y siwrans rŵan, ddeudaist ti." Cododd y rhacsen ffrog y buasai Manon ar fin ei thrwsio. "Chest ti fawr ar eu hola nhw, naddo?"

"'Doedd ganddyn nhw ddim i'w adael, ond y tŷ."

"Oes gen ti unrhyw obaith o allu mynd yn ôl i weithio?"

"Paid â bod yn dwp!"

"Mi fedrat drio, medrat? Fyddat ti ddim gwaeth ar *drio*."

"Ond sut? A finna'n methu â mynd ar gyfyl car? Pawb yn... yn marw o 'nghwmpas i, yn fan'no yn y niwl." Rhwbiodd ei llygaid yn ofidus. "Ella mai ofn marw sy arna inna yn y pen draw."

"Mae arnat ti fwy o ofn byw, 'does?"

Ymlidiodd syndod y gofid o'r llygaid duon.

"Edrycha arnat ti, wedi dy gladdu dy hun yn y twll cegin 'ma." Cythrodd Chris i'r llenni a'u hagor yn ddiseremoni. "Cau sbio drwy'r ffenest heb sôn am fynd allan. Cau sbio ar oleuni'r haul nac anadlu awyr iach. Tria gwffio, Topsi, cwffio. Dechra byw!"

Neidiodd dagrau i lygaid Manon a sgrechiodd arno.

"Digon hawdd i ti ddeud, 'dydi? Wyddost ti ddim be ydi ofn."

"Wel gwn, siŵr Dduw! Mi ŵyr pawb. Ddeuda i hyn wrthat ti: mi fydda arna inna ofn y cythral brawd 'na oedd gen ti drwy 'nhin ac allan ers talwm. 'Roedd ganddo fo wenwyn i mi am ryw reswm, 'sti, o'n tymor cynta un ni'n dau yng Nglan Llamwy. Ond rwystrodd hynny mo'no i rhag gofyn i'w chwaer bach ryfadd o fynd hefo fi, naddo? 'Roeddat ti mor wahanol, Topsi, fedrwn i ddim peidio, er y basa fo wedi bygwth hannar fy lladd i 'tae o'n gwybod. Ddoist ti ddim chwaith. Er dy fod di bron â thorri dy fol eisio dŵad. Yntê'r hen gariad? 'Roedd arnat ti ofn byw'r adag honno hyd yn oed, 'doedd Topsi?"

O frig ei thomen atgofion, fflachiodd yr olygfa gyfarwydd o flaen llygaid Manon unwaith eto. Chris dal, dywyll, yn ceisio'i hudo i'r seddau triswllt â'i lygaid perliog. Ei chorff hunanus hithau'n ysu am dderbyn, ond ei hysbryd yn crino gan ofn: ofn mentro profiadau newydd yng ngwres angerdd Pero, arch-garwr Ysgol Glan Llamwy; ofn wynebu'r hen greulondeb yn rhyferthwy'r Glyn eiddigus, a gasâi lwyddiant Chris, yn ei waith a chyda'r genod; ofn pryfôc difalais tad a mam hyd yn oed. Ymfoddfa o ofn, a deimlai rywfodd fel pe bai bron yn hŷn na hi ei hun. Ofn byw?

Dan ysgwyd ei ben, cododd Chris a rhoi llaw fodrwyog ar y glicied.

"Mae'n rhy hwyr bellach, Topsi, f'aur i."

Drwy'r drws agored, gwyliodd Manon ei gefn yn diflannu heibio i gornel y tŷ. Yna llamodd at y drws a'i gloi ar ei ôl gyda therfynoldeb cloi drws claddgell. Tynnodd y llenni ar draws hanner y ffenestr fel cynt, cyn ymollwng i'w chadair ac ailafael yn ei hen ffrog lanhau â llaw grynedig.

"'Roedd hi'n rhy hwyr ugain mlynedd yn ôl, 'doedd, Pero?" sibrydodd.

Dyddiau Teisen Bwdin

Baglodd Lydia o Dŷ'r Doctor i heulwen pnawn Gwener o wanwyn a gweld dim byd ond niwl drwy lygaid llaith. Er bod ei choes yn bynafyd cymaint ag erioed, ni theimlai ddim oddi wrthi. 'Roedd ei chorff a'i meddwl wedi fferru ar ôl clywed geiriau Doctor Wyn.

"Dos i sefyll ar y glorian 'na, Lydia,'' meddai pan soniodd wrtho am y boen yn ei choes. Ufuddhaodd Lydia'n bryderus: 'doedd hi ddim wedi bod yn agos i glorian er geni Dewi, a dyna Dewi newydd gael ei bedair. Arswydodd wrth weld y rhifau ar y deial yn chwyrlïo heibio drwy'r ffenestr fach.

"Nefoedd fawr, Lydia, 'rwyt ti'n gant a phymthag!'' ebychodd Doctor Wyn.

"Cant a phymthag be?'' gofynnodd Lydia.

"Kilogram,'' atebodd y Doctor. "Ma' hynny tua deunaw stôn. Sut neno'r trugaredda y llwyddaist ti i fynd mor dew a gweddill y teulu fel styllod?''

"'Dwn i ddim,'' meddai Lydia. "Pigo am wn i. 'Dydw i yn y gegin drwy'r dydd bron, 'dydw, rhwng gneud cinio mawr i'r dynion 'cw, a'r plant eisio te iawn wedyn ar ôl dŵad adra o'r ysgol. Heb sôn am gael Dewi o dan draed byth a hefyd: 'dydi hwnnw ar ei gythlwng o fora gwyn dan nos. Fedar rhywun ddim peidio pigo.''

"Wel ma'n rhaid i ti roi'r cacenna a'r bisgedi dan glo,'' meddai Doctor Wyn. "Gorfadd yn fan'cw i mi gael gweld y goes 'na.''

Gydag ymdrech, llwyddodd Lydia i'w llusgo'i hun i ben y gwely uchel. Bodiodd Doctor Wyn ei choes.

"Oes raid i chi fod mor giaidd?'' gofynnodd Lydia. 'Roedd hi a Doctor Wyn yn hen lawiau ers ei phlentyndod.

"Diodda am funud, wnei di?'' meddai Doctor Wyn. "Ers faint 'rwyt ti'n cwyno?''

"Ers hannar blwyddyn.''

"Wel lle buost ti cyhyd? Mi gei fws ddwywaith yr wythnos

er dy fod di'n byw yn nhwll din y byd."

"Dim amsar," meddai Lydia. "Cofiwch bod gen i saith o blant."

"Rheitia yn y byd i ti edrach ar d'ôl dy hun," ceryddodd Doctor Wyn. "Rŵan, mi ro i dablets i ti, a hosan lastig. Gwisga di hi *cyn* rhoi dy droed ar lawr bob bora."

"Os cofia i."

"Gofala di gofio. Rŵan 'ta, sut wyt ti, ar wahân i'r goes?"

"Iawn," atebodd Lydia. "Dipyn bach o bendro weithia, ond be arall sy i'w ddisgwyl a'r lle 'cw fel Ffair Borth?"

"Mi dria i dy breshiar di. Lle ma' Dewi pnawn 'ma?" gofynnodd Doctor Wyn wrth lapio'r teclyn pwysedd gwaed am fraich Lydia.

"Ma' Megan yn ei warchod o. 'D aeth hi ddim i'r ysgol heddiw. Mymryn o annwyd yn ddigon i Megan."

"Faint ydi'i hoed hi bellach, dywad?" Gwasgai Doctor Wyn y swigen ar ben y teclyn.

"Un ar bymthag. Gadael yr ysgol yn yr ha' a dim golwg am waith yn unlla."

"Ma' gen ti ddigon o waith iddi adra."

Sylwodd Lydia fod y nodyn ysgafn wedi cilio o lais Doctor Wyn.

"Ma' dy breshiar di'n uchal, Lydia. Rŵan gwranda di arna i. Ma'n *rhaid* i ti golli pwysa. Wyt ti'n dallt? Colli pwysa neu golli dy iechyd: dyna dy ddewis di. Mi allai dy fywyd di fod yn y fantol. 'Rydw i'n deud wrthat ti heb flewyn ar fy nhafod, achos mi wn i na chym'ri di ddim sylw ohono i os rho i siwgwr ar y bilsan. A 'does arna i ddim eisio dy weld di'n cael strôc farwol a gadael Wil i fagu llond tŷ o blant yn ddi-gefn."

Aethai wyneb Lydia fel y galchen.

"'Dydach chi 'rioed o ddifri?" gofynnodd.

"Siŵr iawn 'mod i o ddifri," atebodd Doctor Wyn. "'Dydi rhywun ddim yn gwamalu am beth fel hyn, Lydia. Rŵan, mi ro i dabledi i ti at y pwysedd gwaed, a dyma i ti daflen ddeiet."

Prin y clywai Lydia ef. Mi allai hi syrthio'n farw unrhyw funud! Dewi'n colli'i fam ac yntau'n ddim ond pedair oed. Teimlodd yr ystafell yn dechrau troelli fel olwyn Gatrin o'i

42

chylch. O foth yr olwyn, treiddiodd llais Doctor Wyn unwaith eto.

"Rŵan cofia di ddilyn y fwydlen 'ma. Lluchia dy badall ffrio ar y doman, a phaid â phrynu'r un fisgedan na chrasu'r un deisan nes byddi di'n hannar y ddynas wyt ti ar hyn o bryd. Paid di â phoeni am y teulu. Ma'n well iddyn nhw gael eu hamddifadu o'u te dydd Sul na chael eu hamddifadu o'u mam. A thyrd di yma bnawn Gwenar nesa eto'n ddi-ffael. Mi fydd arna i eisio dy weld di bob wythnos am dipyn."

Gwthiodd Lydia'r papur doctor a'r daflen fwydydd i'w bag llaw fel rhyw robot. Wrth gamu allan drwy ddrws ffrynt y feddygfa ni chofiai ffarwelio â Doctor Wyn. Ni chofiai gerdded drwy'r parc i orsaf y bwsiau wedyn chwaith. Teimlai fel pe bai wedi cael ei chludo yno drwy dwnnel tywyll ar ruthr o ddyfroedd, a Hen Gychwr Afon Angau eisoes yn dynn ar ei sodlau.

Rhwbiodd ei llygaid i glirio'r niwl ohonynt ac edrychodd ar gloc yr orsaf fwsiau. Tri o'r gloch. Awr i'w gwastraffu dan amser y bws. Einioes o awr. 'Doedd ganddi ddim pleser i grwydro'r siopau, ac erbyn hyn daethai'n ymwybodol o'r cnoi yn ei choes unwaith eto. 'Doedd dim amdani ond mynd am paned er mwyn cael eistedd.

Trywanodd yr awgrym ei chalon fel saeth gwenwynig. Sylweddolodd ei bod yn mynd yn syth o sŵn darogan gwae Doctor Wyn i hel yn ei bol. Rhaid fyddai iddi roi holl rym ei hewyllys ar waith i osgoi peryglu'i bywyd. Un paned o goffi, a dim siwgr na llefrith.

Fel yr herciai heibio i ffenestr Caffi'r Badell denwyd ei llygaid yn reddfol gan fagned y cacennau. Gorfododd ei hun i godi'i golygon ac agor drws y caffi. Nofiodd arogleuon pysgod a sglodion i'w ffroenau: yr oedd yno rywun eisoes yn bwyta te cynnar. Cododd archwaeth arni'n syth a chlywodd ei chylla'n rowlio'n swnllyd. Unwaith eto ceisiodd osgoi edrych ar y teisennau dan y cownter gwydr a gofynnodd am gwpanaid o goffi du.

Wrth gludo'i phaned ar draws yr ystafell at yr unig fwrdd gwag yn y caffi, sylweddolodd Lydia'i bod yn cychwyn ar frwydr oes. Yn araf deg bach dros y blynyddoedd y pentyrrodd y bloneg am ei hesgyrn. Bellach, yn araf deg bach, byddai'n rhaid ei ddiosg. Gresyn na ellid peri iddo doddi yng ngwres y tân fel y toddai saim mewn padell ffrio. Ond rhaid oedd cael gwared â'r badell, a llwyrymwrthod â saim, ac â siocled a siwgr a chant a mil o ddanteithion eraill. Dyna'r unig ffordd i ymddihatru o'r haenau cnawd a wasgai amdani, yr unig ffordd i ddiogelu'i dyfodol i fagu'i theulu. 'Roedd yn rhaid iddi gael gweld Dewi bach yn tyfu'n ddyn.

Cododd ei chwpan yn betrusgar at ei gwefusau a drachtio'r coffi poeth, chwerw. Yn syth, teimlodd ddincod ar ei dannedd a phwys yn ei stumog. Ych! 'Roedd o'n afiach. Hwyrach y gallai'i yfed heb lefrith, ond nid heb siwgr. Âi i brynu tabledi melysu yn siop y fferyllydd cyn mynd am y bws. Yn y cyfamser, rhag gwastraffu'r coffi 'doedd ganddi fawr o ddewis ond rhoi siwgr ynddo. Tywalltodd ddwy lwyaid i'w chwpan. Ond o leiaf, 'roedd hi wedi osgoi'r wics a'r teisennau.

"Ga i eistedd hefo chi? Ma' hi'n llawn gynddeiriog yma pnawn 'ma."

'Roedd y wraig a'i harllwysodd ei hun i'r gadair gyferbyn mor flonegog â hithau. Yn ei llaw daliai blât ac arno gacen hufen ffres.

"'Dydach chi'n cael dim i'w fwyta?" gofynnodd.

"Dim eisio dim," atebodd Lydia'n gelwydd i gyd, a'i bol yn dechrau rowlio eto.

"Ma'n rhaid i mi gael tamaid i aros pryd," meddai'r wraig. "Cha i ddim te am allan o hydion."

Wrth iddi godi mynydd o feráng oddi ar ei phlât, a'i brathu nes peri i'r hufen frothio allan a gadael smotyn gwyn ar flaen ei thrwyn, gwelodd Lydia fod ganddi gacen arall hefyd, yn swatio'n swil yng nghysgod y feráng. Teisen bwdin!

Clywodd Lydia'r dŵr yn dechrau llifo o'i dannedd. Yn sydyn, 'roedd hi'n eneth fach unwaith eto, fawr hŷn na Dewi, yn rhuthro gyda Jane a Helen a Mai Tŷ Coch drwy lidiart yr Ysgol Bach ar bnawn Gwener braf, ac yn rhedeg yn bendramwnwgl i lawr yr allt tua Becws y Sgwâr â'i thair ceiniog felen yn llosgi'i llaw. Hyrddio drws y Becws yn agored gyda chlep, a John Parri Becar yn dweud dan wenu:

"Dydd Gwenar unwaith eto, hogia bach. Teisan bwdin bob un, fel arfar?"

Y teisennau pwdin a'r pisynnau tair yn newid dwylo, a'r pedair ohonyn nhw'n cerdded adre'n araf deg ar hyd llwybr Tŷ Coch, gydag arogleuon hyfryd blodau'r eithin yn llenwi'u ffroenau, a melyster meddal y teisennau pwdin dan eu dannedd.

Heb yngan gair wrth y wraig flysig gyferbyn â hi, cododd Lydia mewn breuddwyd a mynd at y cownter. Yno, fel cynt, ffeiriodd geiniogau am deisen bwdin, y tro hwn gymaint ddengwaith â'r hen bisyn tair. Cydiodd yn y cwdyn papur, a cherddodd allan o'r caffi ac yn syth i'r parc. Aeth heibio i hanner dwsin o feinciau gwag cyn eistedd, rhag i neb aflonyddu arni ar hanner ei gwledd gyfrin. Yna suddodd ei dannedd drwy'r crwst a'r siwgr i ddyfnderoedd sbeislyd-felys y pwdin. Caeodd ei llygaid wrth anwesu'i lyfnder â'i thafod, a gwelodd unwaith eto bedair geneth fach yn chwarae'n ffri yn y glaswellt a'u gwalltiau'n llifo'n rhydd yn y gwynt. Gwelodd frodwaith o flodau gwylltion glas a melyn a gwyn dan eu traed, a chlywodd y gog yn canu ym mhen pellaf y llain. Gwelodd ei hun yn ffarwelio â'i ffrindiau, yn dringo'r gamfa o'r llwybr i waelod gardd ei chartref, ac yn rasio i gyfeiriad yr aroglau cig moch ac wy a thatw wedi'u ffrio a'i hudai drwy'r drws cefn agored. Dyna fyddai'r drefn bob pnawn Gwener.

Heddiw, mi wyddai i'r dim beth i'w roi i de i'r plant. Mi ffriai gig moch ac wy a thatw, iddyn nhw ac iddi hi'i hun, a'u sawru'n hamddenol hefo llyn o sôs brown. Dyna'r unig bryd a'i boddhâi ar ôl blasu teisen bwdin. Clywodd y tamaid olaf o'r deisen yn toddi'n ddŵr yn ei cheg. Llyncodd ef, a chydag ef diflannodd pob briwsionyn o ddiofalwch rhydd ei phlentyndod. Cyfrifoldeb a olygai plentyndod iddi bellach. 'Roedd ei dyddiau teisen bwdin ar ben.

Ond heddiw, a blas pnawn Gwener mebyd yn chwithdod melys ar ei thafod, heddiw, deued a ddelai, fe fwynhâi ei swper fferm. Fe ymprydiai fory.

Os na fyddai fory'n rhy hwyr.

Dyddiau Dedwydd

Deffroes Ann i sŵn y plant yn bloeddio ar ei gilydd yn eu llofft. Yn gysglyd, ymbalfalodd am y cloc larwm a safai ar y cwpwrdd ger ei herchwyn hi o'r gwely. O'r mawredd! Chwarter i saith a hithau'n fore Sadwrn. Bob bore ysgol byddai'n rhaid eu hysgytio i'w deffro am wyth.

"Chdi 'ta fi sy am godi?" gofynnodd, gan ddisgwyl y chwyrniad arferol o ateb cyn i Dic wrth ei hochr droi drosodd ac ailafael yn ei gwsg. Ond ni ddaeth.

"Dic?" meddai, a lluchio'i braich i'w gyfeiriad. Dim ond ar ôl i'w llaw syrthio ar y gobennydd oer y cofiodd. 'Roedd o wedi hel ei draed tua Pharis gyda chriw'r Clwb Rygbi i weld y gêm ryngwladol felltith yna, a'i gadael hithau gartre'n un pelican hefo'r hogiau. Beth wnâi hi? Ni allai fyth ymdopi â'r ddau drychfil bach am wyth awr a deugain solet ar ei phen ei hun. 'Roedd ei phen yn wayw i gyd a'i chlustiau'n llawn o dwrw.

Oedd hi'n braf, tybed? Caent fynd allan i chwarae ar eu beiciau ond iddi beidio â bwrw. Cododd gwr y llen oddi ar y ffenestr. 'Roedd yn tywallt y glaw. Gallai'i weld yn rhaeadru i lawr yng ngolau lamp y stryd. Gan ollwng y llen yn ei hôl i guddio'r bore, griddfannodd a chladdu'i phen yn ei chlustog. Hwyrach yr âi'r ddau yn ôl i gysgu.

Eithr nid oedd ddihangfa. Hyrddiwyd drws ei llofft yn agored a rhuthrodd Elfed bedair oed i'r ystafell dan ubain.

"Ma' Gwynfor wedi pannu fi," bloeddiodd, gan ddringo i'r gwely a swatio'n erbyn cefn ei fam.

"Fo sy'n malu fy nhŷ Lego fi." Achubodd Gwynfor ei gam o'r llofft gefn.

Cododd Ann ar ei heistedd yn y gwely â'i bysedd yn ei chlustiau.

"Tewch," gwaeddodd. "Tewch, tewch, tewch. Peidiwch â dechra ben bora, er mwyn y nefoedd!"

Syllodd Elfed yn syn arni'n neidio o'r gwely, yn taro'i gŵn wisgo amdani, ac yn rhuthro i ben y grisiau.

"Arhoswch lle'r ydach chi am *bum munud*," ysgyrnygodd.

Yn y gegin, rhoes y tecell i ferwi'n syth. Byddai'n teimlo'n well ar ôl cael paned o goffi ac aspirin. Yna gwelodd fod Elfed wrth ei chynffon heb ddim am ei draed.

"Dos i chwilio am dy slipars," meddai wrtho'n flin.

"'Dwi isio Reisicyls," atebodd yntau.

"Dos i chwilio am dy slipars, ddeudis i."

Gyda'i wefus isaf yn dechrau crynu, troes y bychan ar ei sawdl, a chlywodd Ann y llefain yn ymchwyddo fel seiren ryfel unwaith eto.

"O, be gythra'l sy arna i?" Claddodd ei phen yn ei dwylo. Yna clywodd chwiban y tecell fel atsain o grio Elfed, a thywalltodd y dŵr berwedig i'w mŵg. Crynai'i dwylo gymaint nes peri iddi golli llyn o'r dŵr hyd y bwrdd. Sychodd ef yn frysiog a drachtio'i choffi'n awchus. Byddai'n well mewn munud: coffiholig, dyna ydoedd.

Prin y cafodd amser i orffen ei diod nag y daeth Elfed yn ei ôl â'i hen fflachod o slipars yn ei law.

"Methu rhoi nhw am traed," meddai. "Rhy dynn."

Ochneidiodd Ann. 'Roedd ei draed o'n tyfu fel petai ganddo dail yng ngwadnau'i esgidiau. Rhagor o gostau, a Dic yn afradu'u da prin yn y wlad bell bechadurus yna. Gwthiodd draed Elfed i'r slipars yn ddidrugaredd. Rhaid fyddai iddynt wneud y tro am dipyn.

"Aw, aw, aw!" cwynodd Elfed. "Rŵan ga i Reisicyls?"

Paratôdd Ann bowliaid o'r grawnfwyd iddo'n frysiog, gan golli'r llefrith, y tro hwn, am ben y bwrdd. Yna bloeddiodd ar Gwynfor:

"Tyrd i lawr y munud 'ma. 'Does arna i ddim eisio'r llestri brecwast ar y bwrdd dan ganol y bora."

Annheg, meddyliodd. Prin hanner awr wedi saith oedd hi byth. 'Doedd ganddi ddim hawl i fod mor gas, a hynny'n unig am fod Dic wedi mynd i fwrw'r Sul hebddi am y tro cyntaf yn ystod deng mlynedd eu priodas.

Ond ai dyna beth oedd, o ddifrif? Yn ddiweddar, buasai'n

arthio ar bawb drwy'r adeg. Deuai Dic adref o'r gwaith cyn iddi ymolchi a newid yn aml. A dweud y gwir, byddai'r tŷ'n dal â'i ben i lawr a'i draed i fyny am bump o'r gloch y nos weithiau, a fedrai hi ddim rhoi'r bai ar y plant a'r ddau bellach yn yr ysgol drwy'r dydd. Rywsut, 'doedd ganddi ddim amynedd, gyda'r tŷ na Dic na'r plant.

Dadebrodd o'i myfyrio a sylweddoli fod Gwynfor wedi cyrraedd.

"Ydach chi'n clywad, Mam?" gofynnodd.

"Be ddeudist ti?"

"Ga i gorn-fflêcs, plîs?"

"Creision ŷd, os gwelwch yn dda," cywirodd ef yn beiriannol. Gwyddai nad oedd ddiben yn y byd iddi'i gywiro: os mai "corn-fflêcs plîs" a ddywedai'i gyfoedion, "corn-fflêcs plîs" a ddywedai yntau. Collodd rai o'r creision ŷd am ben y bwrdd.

"Yli, rho di'r siwgwr a'r llefrith dy hun," arthiodd ar Gwynfor. "Wn i ddim pam ma' raid i mi weini arnat ti byth a hefyd. 'Rwyt ti'n wyth oed; mi ddylat 'neud tipyn drosot ti dy hun bellach."

Gwnaeth gwpanaid arall o goffi iddi'i hun a mynd â hi drwodd i'r ystafell ffrynt.

Heddwch! meddyliodd wrth ymollwng i gadair esmwyth. 'Does dim ond awr er pan godais i, a dyma fi'n dyheu am heddwch yn barod.

"Mam, ga i goffi?" Bloedd o'r gegin. 'Roedd Elfed wedi gorffen ei fwyd.

"A finna plîs." 'Roedd gan Gwynfor lond ei geg.

"O, damia chi!" Gwaeddodd nes bod ei gwddf yn brifo. "'Does yma ddim eiliad i'w gael gynnoch chi."

Gadawodd ei diod ar ei hanner a dychwelyd i'r gegin gan fflamio dan ei llais. Wedi iddynt gael eu coffi, aeth yr hogiau drwodd i'r ystafell ffrynt at y set deledu, a mynd ati i wylio T.V.-A.M. hyd nes dechreuai rhaglenni'r plant. Daeth hithau â'i phaned lugoer yn ôl i'r gegin. Ni allai aros yn yr un fan â hwy.

Wedi bore cymharol heddychlon drwy gydweithrediad Walt

Disney a'i debyg, caed Armagedon o bnawn. Erbyn amser te 'roedd Ann yn gryg, ei gwddf yn sych a'i phen fel plwm. A phan hyrddiodd Elfed lond powlen o jeli at Gwynfor daeth i ben ei thennyn.

"Y diawlia'd bach, mi'ch lladda i chi!" bygythiodd. "Ddioddefa i mo'noch chi ddim eiliad yn hwy."

Rhuthrodd amdanynt, ac ar yr un eiliad, diflannodd y ddau drwy'r drws fel un, a'u cweryl yn angof. Cwympodd Ann yn un bwndel i'r gadair agosaf ati a beichio wylo. Pam, O pam, na fedrai hi drin ei phlant? Pam na fedrai eu dioddef, hyd yn oed? Rhaid fyddai iddi fynd at y doctor. 'Roedd arni angen help i ddechrau o'r newydd.

Toc, teimlodd fraich fach yn llithro am ei gwddf, a gwallt fel gwawn yn cosi'i grudd.

"Sori, Mam," meddai'r ddau.

"Mae'n ddrwg gen i, hogia," sibrydodd hithau.

Ond y tro hwn, nid cywiriad yn unig mo'i geiriau.

Blodau Oren

Carpedai'r blodau oren y clogwyn, a'u clychau'n gwau'n llachar rhwng gwyrdd golau'u dail a gwyrdd sobrach y rhedyn. Cawsai Mair ei llygad-dynnu mor llwyr gan lesni llonydd y môr fel na sylwasai arnynt. Ond pan droes o'r diwedd i chwilio am y llwybr a arweiniai i fyny o'r traeth, gwanodd eu disgleirdeb ei chorff a'i henaid nes peri iddi deimlo am ennyd yn ddiymadferth. Eisteddodd ar greigen i sadio'i choesau cyn cychwyn tua gwaelod y llwybr.

Ni wyddai'u henwau. Un sâl fu hi erioed am adnabod blodau. Ond 'roedd i'r rhain eu harwyddocâd, a hwnnw, heddiw o bob diwrnod, yn arwyddocâd dirdynnol. Gadawodd i'w meddwl bontio'r milltiroedd i'r tŷ a fuasai'n gartref iddi am ddeunaw mlynedd, a gwelai swp o'r blodau oren yn gloywi cornel o'i ardd ddilewyrch. Ac eto, er eu hardded, cymysg fyddai'i theimladau tuag atynt, yr adeg honno fel yn awr.

Fe'u hoffai ddiwedd Awst fel hyn, pan fyddent ar eu hanterth yn goleuo'r gornel wrth y cilbost, a'u dail hirion yn pwyso dros y wal isel i'r stryd. Ond ni chaent lonydd. Collai'r plant eu peli yn nhrwch eu bonion, a'u gwastatáu'n resynus wrth chwilota rhyngddynt pan nad oedd neb yn gwylio. Yna, ym Medi, gwywent yn raddol. Crebachai'r dail ac araf frownio, nes edrych fel stribedi hir o bapur llwyd, yn sumbol o hirlwm a hydref. Wedi oren llachar y blodau, ymddangosai brown y dail mor drist fel na allai Mair edrych arno. Rhaid fyddai iddi'u codi'n syth a'u lluchio i'r bin sbwriel. Am ryw reswm ni allai oddef y dasg: 'roedd fel clirio pryfed marw oddi ar sil y ffenestr. Ysgrytiai drwyddi a rhuthro i orffen. Eithr ei hannifyrrwch hi fyddai pleser y plant, a safent uwch ei phen gan ddisgwyl yn awchus am eu peli coll. Byddai'r peli'n weddol ddiogel am flwyddyn arall, nes dychwelai Awst a'i flodau oren.

Ond dair blynedd yn ôl, nid y blodau'n unig a ddaeth yn sgîl mis Awst. Daeth chwalfa.

Dydd Sadwrn Gŵyl y Banc oedd hi, a Gwyn a hithau a'r plant wedi mynd i'r dref i siopio.

"Dos di i nôl y bwyd," meddai Gwyn. "Mae arna i angen un neu ddau o betha i'r car. Wela i di wrth y Co-op am dri."

"Ga i fynd hefo Dad?" gofynnodd Iolo. 'Roedd Iolo'n ddeg ac yn gwirioni ar geir.

"Cei," atebodd Mair. "Sioned a Gwen, dowch chitha i roi help llaw i mi."

Cerddodd y merched i'r archfarchnad, ac ymlwybro'n hamddenol rhwng y silffoedd gan ddewis digon o fwyd i'w digoni dros yr ŵyl. Wedi talu, llwythodd y tair y nwyddau i focsys a'u cludo at y drws, i ddisgwyl i Gwyn a Iolo gyrraedd gyda'r car am dri. Ond ymlusgodd tri a hanner awr wedi tri heibio heb arlliw ohonynt. Erbyn pedwar, daethai Mair i ben ei thennyn.

"'Does gan eich tad ddim clem am amser unwaith y bydd o yng nghanol ceir," meddai'n ddiamynedd. "Gofalwch chi am y neges, genod: mi a' i i chwilio am dacsi."

Arhosodd y tacsi ger y tŷ yn union gyferbyn â'r blodau oren, cofiai'n dda. Ac fel y talai hithau i'r gyrrwr, gallai glywed y ffôn yn dechrau canu y tu ôl i ddrws y ffrynt. Rhuthrodd i'w ateb gan adael i'r genethod ymdopi gyda'r bocsys neges.

"Gwyn?" gwaeddodd yn fygythiol i'r ffôn.

Bu ennyd o ddistawrwydd, yna daeth llais dieithr i'w chlyw.

"Mrs. Williams?"

"Ie."

"Mae arna i ofn fod damwain wedi digwydd. Bydd plismon yna gyda hyn..."

Ar y gair, ymddangosodd dau heddwas yn y drws. Gwrandawodd Mair yn syfrdan ar eu lleisiau.

"Car ... bws ... osgoi plentyn ... gwrthdrawiad ... dim gobaith..."

Fferrodd. Bowndiai'r geiriau'n ôl o'i hymennydd diffrwyth. Synhwyrodd, yn hytrach na theimlo, rhywun yn gafael yn ei braich a'i harwain at gadair, ac eisteddodd hithau heb symud gewyn, a'i llygaid yn syllu o'i blaen heb weld yr un llucheden o olau. Rhaid fod cymdoges wedi cyrraedd o rywle a pharatoi

52

tebotaid o de. Yfodd Mair gwpanaid o'r ddiod siwgwraidd a gasâi gymaint heb sylwi'i fod yn felys. 'Roedd ei synhwyrau i gyd wedi pylu, wedi rhewi.

Ac eto, pan ddechreuodd ei meddwl ddadebru o'r diwedd, 'roedd yn berffaith glir. Gwyddai yn union beth y dylai'i wneud. Yn y dyddiau canlynol, gofalodd am y genethod yn eu gofid. Trefnodd y gwasanaeth angladdol. Trefnodd yr amlosgiad. Lluniodd yr arysgrif coffa. Wynebodd bawb a phopeth yn eofn.

"Mae hi'n ddewr," meddai pobl, "yn claddu'i gŵr a'i mab gyda'i gilydd, druan fach. Mae hi *yn* ddewr."

Aeth blwyddyn heibio, a'r dewrder yn para mor gadarn â derwen.

"Er mwyn y genethod," chwedl hithau. "Rhaid dal, er mwyn y genethod."

Eithr nid aethai'n agos i'r amlosgfa. Rhag tarfu ar y merched, meddai hi.

Fore Sul Gŵyl Banc Awst, dywedodd Sioned:

"Mam, mi fydd yr arysgrif i gofio Dad a Iolo i'w gweld yn y llyfr coffa heddiw."

Teimlodd Mair rywbeth yn tynhau yn ei gwddf.

"Ddoe, Sioned," atebodd, gan wybod ei bod yn ceisio taflu llwch i'w llygaid ei hun yn ogystal ag i rai Sioned.

"Blwyddyn i ddoe oedd hi, Mam," meddai Sioned, "ond heddiw ydi'r dyddiad. Gawn ni fynd yno, Mam? Os golchith Gwen a fi'r llestri a chitha fynd i newid mi fedrwn ddal y bws ddau."

"Oes 'na fws ddau ar ddydd Sul, dywed?"

'Roedd golwg hŷn na'i phedair blwydd ar ddeg yn llygaid Sioned. Penliniodd wrth ochr ei mam a gafael yn ei llaw.

"Oes," meddai'n gadarn. "Dowch."

Wrth iddi gribo'i gwallt ger ffenestr y llofft, crwydrai llygaid Mair at y blodau oren bob gafael. Tywynnent eleni yn union fel y gwnaent llynedd. Tywynnent eto'r flwyddyn nesaf, a phob mis Awst arall hyd derfyn amser os na châi wared â hwy. Ond yn sydyn, cymhellodd rhywbeth hi i godi allan a chasglu tusw ohonynt i fynd i'r amlosgfa.

Wedi cyrraedd, trefnodd hwy'n sbloet o liw yn un o'r ffiolau, cyn cerdded law yn llaw â Sioned a Gwen i'r capel i weld yr arysgrif yn y llyfr coffa. Wrth syllu ar y geiriau syml a'u llythrennau coeth gallai deimlo cymundeb â Gwyn a Iolo; teimlo cynhesrwydd eu presenoldeb, yn union fel pe bai'r ddau cyn agosed ati â'i merched.

Y noson honno, criodd am y tro cyntaf. Wylo, nid yn nhywyllwch ei gwely unig, ond o flaen y genethod, a hynny heb gywilydd nac edifeirwch. Pan ofynnodd Sioned iddi a deimlai'n well, atebodd:

"'Rydw i'n teimlo, Sioned. Mae hynny'n ddigon."

Y flwyddyn ganlynol, bu ymweld â'r amlosgfa gyda'i thusw oren yn haws. Heddiw, a hwythau wedi mudo oherwydd i Mair gael swydd newydd, ei gofid oedd eu bod rhy bell i allu mynd yno. Gyda meddwl cythryblus y crwydrasai i lawr y ffordd i ben pellaf y traeth ryw awr yn ôl. Teimlai fel pe bai wedi ymwrthod â Gwyn a Iolo: wedi'u gwadu. Ond wrth iddi gerdded ar hyd y tywod a syllu ar lonyddwch digyffro'r môr, tawelodd storm ei meddyliau. Llwch i'r llwch, dyna'r cyfan a adawsai ar ôl. Byddai bywyd Gwyn a Iolo gyda hi'n dragywydd.

Pan gyrhaeddodd ben y clogwyn, sylweddolodd ei bod wedi casglu swp o'r blodau oren heb yn wybod iddi'i hun. Aeth adref, a'u dodi mewn llestr yn y gegin lle gallai eu gweld.

Ffarwél Febyd

Deffroes Olwen yn laddar o chwys. Yr oedd ei thalcen yn bynafyd, ei llygaid yn dyfrio, ei gwddf yn llosgi, a'i thrwyn tyn yn ei mygu cyn sicred â gwythïen lawn braster. Ceisiodd godi'r belen blwm o ben oedd ganddi, ond syrthiodd yn ôl ar y gobennydd plu mor galed â charreg yn taro craig. Cawsai anrheg pen-blwydd priodas gan ei merch, Delyth: y ffliw.

'Roedd Delyth wedi cael dos egr. Er iddi swatio yn ei gwely ers tridiau nid oedd osgo gwella arni byth; gwegiai ei choesau odani bob tro y ceisiai ymlwybro tua'r lle chwech. Gwely am ddyddiau fyddai'i thynged hithau, Olwen, felly, bid siŵr. A'i helpo! Pa fam oedd ag amser i fod yn sâl? Galwodd ar ei gŵr.

"Geraint."

Gwich gryglyd oedd yr unig sŵn a ddeilliodd o'i hymdrechion, ond yn wyrthiol ymddangosodd Geraint yn nrws y llofft gan ymbalfalu â chwlwm ei dei.

"'Dwyt ti ddim am godi bore 'ma? Mae Dylan yn methu â chael hyd i grys glân ac yn swnian am wy wedi'i ferwi i frecwast."

Ochneidiodd Olwen.

"Fedra i ddim codi."

"Gwaedda fwy. Ddeffri di mo Delyth." Plygodd i gau carrai'i esgid.

"Fedra i ddim gweiddi."

"Chlywa i 'run gair. Oes rhywbeth o'i le?"

"Oes!"

Cododd Geraint ei ben yn bryderus a dod i eistedd ar erchwyn y gwely. Teimlodd ei thalcen.

"Ffliw Delyth?"

Amneidiodd Olwen.

"Finna'n meddwl mai diogi'r oeddet ti. Paid â phoeni. Dywed wrtha i lle ca i grys i Dylan ac mi ofala i am bopeth."

Gwenodd arni ac anwylo'i gwallt. Caeodd hithau'i llygaid mewn rhyddhad.

"Yn y cwpwrdd eirio," sibrydodd. "Diolch, Geraint."

Gwrandawodd arno'n agor drws y cwpwrdd yn yr ystafell ymolchi i chwilota am y crys cyn rhedeg i lawr y grisiau. Yna esgynnodd sŵn hen bydru'n ôl a blaen o'r gegin, gyda thincial llestri'n gymysg â mwmian lleisiau. Tua hanner awr wedi wyth, daeth Geraint yn ei ôl i'r llofft â jygiaid o ddiod oren yn un llaw a gwydryn yn y llall. Dododd y gwydr ar y bwrdd bach ger ochr Olwen o'r gwely, a thywallt peth o'r oren iddo.

"Dyna ti," meddai. "Yfa hwn, a llynca'r ddwy aspirin 'ma hefo fo. Mi ddylai fod digon o oren i ti tan amser cinio yn y jwg 'ma. 'Rydw i wedi mynd â jygiaid i Delyth hefyd."

"Sut mae hi?"

"Dal rywbeth yn debyg. Mi gym'rodd ei thabledi a throi drosodd i setlo'n ôl i gysgu."

"A Dylan?"

"Wedi cael ei wy." Gwenodd Geraint. "A mae'r tŷ fel pin mewn papur felly paid di â mwydro dy ben am ddim byd."

"Beth am fwyd i chi'ch dau heno?" Pesychodd Olwen wrth ymdrechu i siarad.

"Dim problem. Mae 'na ddwy *chop* a thatw drwy'u crwyn yn y popty. 'Rydw i wedi'i amseru o i gychwyn ar ei ben ei hun. A mi gym'rith Dylan afal ar ôl yr ysgol fel tamaid i aros pryd. Mi bicia i adre amser cinio, Olwen, rhag ofn y bydd arnat ti a Delyth eisio rhywbeth."

Teimlodd Olwen y dyfrio yn ei llygaid yn gwaethygu a gwyddai nad ar y ffliw 'roedd y bai.

"'Rwyt ti'n werth y byd." Gwasgodd ei law.

"Dim ond bod yn 'ŵr cariadlawn, ffyddlon a chywir' neu beth bynnag addewais i i ti bymtheng mlynedd yn ôl."

"I heddiw."

"I heddiw. Hidia befo, mi a' i â thi allan am bryd pan fedri di stumogi bwyd." Plygodd i gusanu'i thalcen. "Rhaid i mi'i chychwyn hi rŵan. Tria gysgu tipyn."

Wedi clywed drws y ffrynt yn clepian yn llawer tawelach nag arfer ar ôl ei gŵr a'i fab, caeodd Olwen ei llygaid unwaith eto. Oni bai am dystiolaeth y cloc, buasai wedi mynd ar ei llw na chysgasai'r un winc pan ailagorodd hwy tuag un ar ddeg. Dwyawr wedi mynd heibio a hithau heb fod ar gyfyl ei merch, druan fach. Deuddeg oed oedd Delyth, geneth ar drothwy'i glasoed a'i mebyd yn gwrthod ei gollwng, yn enwedig mewn salwch. Rhaid fyddai iddi fynd i'w gweld.

Ond nid am bum munud bach arall. Allai hi ddim codi'i phen yn ddigon uchel i gymryd diod o oren, hyd yn oed, yr eiliad honno, er gwaethaf ei cheg sych a'i gwddf llosg. Gorweddodd yno ar ei chefn gan syllu ar lesni llachar yr awyr drwy'r ffenestr. O dro i dro, hyrddiai talpiau wadin rhidennog o gymylau ar ei draws, a'r gwynt yn eu gyrru'n ddidrugaredd. Wrth wrando ar sŵn ei chwiban yn y simnai a'i siffrwd drwy ddail y sycamorwydden wrth giât yr ardd, syrthiodd ei hamrannau'n ôl dros ei llygaid yn araf.

Yn sydyn, 'roedd hithau, fel Delyth, yn hogan ddeuddeg oed. Swatiai'n chwys diferol dan haenau o gynfasau a blancedi a chwiltiau cartref yn yr hen wely tri-chwarter hwnnw yn y llofft uwchben y briws gartref. 'Doedd wiw fflantio, meddai Nain; wiw yfed diod oer chwaith. Mor groes i gyfarwyddiadau meddygon heddiw: y rhod wedi troi'n llwyr. Ffliw oedd arni'r tro hwnnw hefyd, yr hen ffliw dwyreiniol, peryglus hwnnw a wnaeth fwy o ysglyfaeth o'r hen nag a wna gwynt y dwyrain bob gaeaf. Nid o'r hen yn unig chwaith. Cofiai iddo gipio John Ifans Fform Wan, a phawb yn crio yn y gwasanaeth boreol er mai prin yr oeddent yn adnabod John bach ac yntau ond newydd ddechrau yn yr Ysgol Sir. Crio am mai hwn oedd y tro cyntaf iddynt ddod wyneb yn wyneb ag angau'r ifanc. Crio, ac ofni mai eu tro hwy fyddai nesaf.

Nid amdani hi'i hun y pryderai Olwen. Hefin oedd ei chonsýrn hi. Pe bai Hefin yn dal y ffliw ac yn marw, byddai'n ddigon amdani hithau hefyd. 'Roedd hi'n caru Hefin, yn ei garu nes bod ei thu mewn yn brifo, a'i dannedd yn crensian bob tro y digwyddai o eistedd wrth ochr merch arall mewn gwers: yn ei garu nes bod ei byd i gyd yn ddu pan orfodid hi i golli'r ysgol.

Du oedd llofft y briws y bore hwnnw pan chwysai'n domen yn y pant yng nghanol y gwely tri-chwarter. 'Roedd yna sycamorwydden y tu allan i'r briws hefyd, ac wrth glustfeinio'n awr ar yr un hen gwynfan rhwng y dail, daeth yr un hen deimlad ingol drosti hithau. Oedd, 'roedd hi'n ôl yn hogan ddeuddeg oed.

Clywai'i thad yn dod i'r llofft ar ei bore cyntaf dan yr haint, ac yn gorffwys ei law yn dyner ar ei thalcen.

"Mae dy ben di fel ffwrnais. Yr hen ffliw 'ma, debyg," meddai. "Mi a' i i nôl Nain i edrych ar d'ôl di cyn galw yn nhŷ'r doctor. 'Mabi druan i. Biti na fasa..."

"...dy fam yn fyw," meddyliodd Olwen. 'Doedd hi'n cofio dim ar ei mam, gan iddi golli'r dydd ar enedigaeth ei hunig blentyn. Ei nain ar ochr ei mam a'i magodd, ond ddaeth Nain erioed i fyw ati hi a'i thad, chwaith. "Mae rheswm yn deud fod ar bawb eisio'i le bach ei hun," fyddai'i byrdwn, a thros y blynyddoedd treuliodd bant yn y llwybr canllath rhwng y ddau dŷ. Hwyrach na fedrodd erioed faddau o ddifrif i'w mab-yng-nghyfraith a'i hwyres am ddwyn ei merch oddi arni. Ond 'roedd ganddi feddwl y byd ohonynt drwy'r cyfan, a gofalodd amdanynt yn gydwybodol. Cyrhaeddodd ar ffrwst ffwdanus iâr un cyw y bore hwnnw, a pheri i Olwen yfed rhyw drwyth berwedig, chwerw yn y gobaith y cysgai am sbel cyn i'r meddyg gyrraedd.

Methiant fu'r cymysgedd. Gorweddodd Olwen yno'n un foddfa am oriau, dan hel meddyliau tywyll am Hefin wrth ddilyn cwrs gwersi'r bore o un ystafell i'r llall. 'Arith' i ddechrau, a Hefin yn disgleirio yn y rhes flaen gan leibio'r cyfan: hithau'n methu adio dau a dau, bron iawn. Lladin wedyn, a Hefin yn y cefn hefo Bob, ei ffrind, yn tynnu ar Miss Parri Lat. nes gwneud i honno wylltio'n gacwn. Ar ôl amser chwarae dôi'r wers Hanes. Dyna pryd yr hawliai Mary Glenys ei stondin yn y ddesg nesaf i Hefin. Daeth pwys i stumog Olwen wrth feddwl amdano'n gwenu ar Mary Glenys â'i lygaid glas yn llawn direidi. Teimlodd ei llygaid ei hun yn dechrau llenwi, a llusgodd ei myfyrdodau ymlaen ar wib.

Arlunio oedd y wers olaf ar fore Llun. Bob bore Llun am chwarter wedi un ar ddeg câi hithau, Olwen, ei hawr; uchafbwynt gogoneddus ei hwythnos yn rhannu desg ddwbwl â Hefin. Un wael oedd hi am arlunio, fel am bopeth arall;

esgus gwych i ofyn am help gan ei heilun. Cofiai amdano'n ceisio tynnu llun pen ci iddi, ac yn methu'n lân â ffurfio'r trwyn yn iawn. Ei ysgwydd yn cyffwrdd â'i hun hi a'i ben melyn yn agos, agos, a'r ddau'n eu lladd eu hunain yn chwerthin y tu ôl i'w dwylo wrth iddo rwbio ac aildynnu ac ailrwbio ffroenau'r ci nes torri twll yn y papur. Da Vinci'n eu clywed ac yn bloeddio: "Hefin Robyrts and Olwen Morus, stop that gigglin' at wons!" gan dynnu sylw'r holl ddosbarth at eu closio; hithau'n cochi at ei chlustiau a phawb yn chwerthin, pawb ond Mary Glenys. Hwyrach mai dyna pryd y penderfynodd honno gael ei bachau ar Hefin.

Wrth feddwl am golli'r wers Arlunio y bore hwnnw dan y ffliw, yr oedd Olwen wedi beichio wylo yr un eiliad yn union ag y dewisodd ei nain ddod i'r llofft.

"Be sy?" gofynnodd Nain. "Wyt ti'n teimlo'n salach?"

"N-nac ydw."

"Mi ddaw'r doctor yn o fuan, wsti."

Dim ateb.

"Mi fyddi di'n iawn. Dim eisio crio," cysurodd Nain hi braidd yn bryderus. Hwyrach iddi gofio am John bach Fform Wan. "Wyt ti'n siŵr nad wyt ti ddim gwaeth?"

"Ydw."

"Wel be sy 'ta?"

"Ei-eisio m-mynd i'r ysgol."

"Nefoedd fawr, hogan, wyt ti'n dechra drysu? Mi fyddi adra am wythnosa."

Dwysaodd yr ochneidio.

"Wyddwn i ddim dy fod di'n lecio'r ysgol 'na gymaint. 'Dwyt ti fawr o sgolar. Wyt ti'n poeni am ryw arholiada neu rywbeth?"

"Nac ydw."

"Dim diben poeni am betha felly."

"'Dydw i ddim."

"Wel paid â chrio 'ta, 'na hogan dda."

Yna 'roedd Dad wedi cyrraedd o rywle, a fflam ei ieuenctid briw heb eto ddiffodd yn ei lygaid. Chwalodd ei gwallt, a gwyddai hithau iddo synhwyro'i thorcalon heb i'r un o'r ddau yngan gair, er na ddeallai sut.

Pan ddechreuasai Hefin ganlyn Mary Glenys ers talwm, buasai agos i Olwen â thorri'i chalon. Gwyddai bellach mai pellter yr addoli a wnâi'i hatgofion mor chwerw-felys. Rhyw greadur chwerw-felys oedd Hefin, twyllwr swynol; a phrofodd Mary Glenys fwy o'r twyll nag o'r swyn, yn ôl pob sôn.

Tywalltodd Olwen ddiod o'r oren a adawsai Geraint iddi a chyfrodd bymtheng mlynedd o fendithion. Yna, yn fwriadus, lluchiodd ymaith yr iselder adleisiol a wnaethai iddi ymdrybaeddu yn y gorffennol o ddim ond clywed cwyn y gwynt. Nid mor hawdd oedd diosg gwendid ei chorff, ond llwyddodd, gydag ymdrech, i godi o'i gwely. Ymlusgodd â'i choesau'n gwegian tua llofft Delyth, i ganfod ei merch yn gorwedd â'i hwyneb tua'r pared. Eisteddodd Olwen yn ddiolchgar ar erchwyn y gwely.

"Wyt ti'n cysgu, Delyth?" sibrydodd.

"Nac ydw." Ni throes ei phen.

"Mae'n ddrwg gen i na ddois i ddim i dy weld di'n gynt. Ddeudodd Dad 'mod inna dan y ffliw?"

"Do."

"Mi ddaw adre toc, os bydd arnat ti eisio rhywbeth, cariad."

Wrth anwylo grudd Delyth, teimlodd Olwen ryw leithder bradwrus dan ei llaw. Gwenodd.

"Be sy? Hiraeth am yr ysgol?"

Trodd Delyth ei hwyneb gofidus tuag ati ac amneidio.

"Ie," atebodd. "Sut gwyddech chi, Mam?"

Ysgariad
i. Iwan

Clywodd Iwan sŵn allwedd yn troi yng nghlo drws y ffrynt a thynnodd ei ben yn ddiolchgar o blygion ei bapur newydd. Gydag anniddigrwydd disgwylgar yr awr a aethai heibio'n ildio'i le i bleser ar ei wyneb, lluchiodd y papur ar lawr i chwyddo'r twmpath a orweddai yno eisoes. Fel y codai ar ei draed i groesawu Eluned, trawodd hi'i phen heibio i ymyl drws y cyntedd ac edrych o gwmpas y lolfa.

"Lle mae Peredur?" gofynnodd.

Diflannodd y wên o lygaid Iwan am eiliad, yna chwarddodd.

"Wel dyna i mi ffordd gysurlon i gyfarch dyn sy'n ysu ers oria am gwmpeini merch. Holi'n syth am ei fab o."

"O'r locsyn gwirion i ti!" cellweiriodd Eluned cyn cilio i gadw'i chôt yn y cyntedd. Pan ddychwelodd, cliriodd lwyth o lyfrau barddoniaeth oddi ar y soffa i gael lle i eistedd, a'u dodi'n daclus ar y bwrdd.

"Wel, lle mae o 'ta? 'Roeddwn i'n meddwl nad oedd ar Medi mo'i eisio fo'r Sadwrn yma."

Cymylodd llygaid Iwan yn stormus wrth iddi grybwyll difrawder ei gyn-wraig. Yn lle eistedd wrth ei hochr, cerddodd at y ffenestr a syllu allan i gyfeiriad y môr.

"Siomedig oedd o, heb weld ei fam ers mis rŵan rhwng y naill beth a'r llall. Mi gym'rodd ei nain drugaredd arno fo bore a mynd â fo adre hefo hi dan fory, yn y gobaith y basa jolihóit ar y bws yn codi'i galon o."

"Wyt ti'n hollol siŵr nad ei yrru o odd 'ma achos 'mod i'n galw wnest ti?" Yn dawel y cyhuddai Eluned bob amser.

"Ydw, siŵr iawn. Mi ddylet wybod na fynnwn i ddim cael gwared â fo ar unrhyw gyfri. A ph'run bynnag, mae gen ti gymaint o feddwl ohono fo."

Tynnodd Eluned wyneb hir.

"Gresyn na fasa ganddo fo'r un faint o feddwl ohono i."

Cerddodd Iwan tuag ati, ei ddicter yn cilio'n sydyn.

Ymollyngodd ar y soffa wrth ei hochr a gafael am ei hysgwyddau.

"Yn ara deg mae dal iâr, Lun. Mi gafodd naw mlynedd i dyfu'n hogyn mam, cofia. Er mai Duw'n unig a ŵyr sut y tyfodd o'n hogyn mam erioed a chysidro fel bydda hi'n ei drin o. Gweiddi arno fo'n dragwyddol. Neu ei anwybyddu o'n llwyr."

"Ond hi magodd o, wedi'r cwbwl, 'sti. 'D aeth hi ddim yn ôl i weithio nes iddo fo fynd i'r ysgol, naddo? 'Rydw i'n ei chofio hi'n dechra acw, yn yr Ysgol Fawr, fel ysgrifenyddes. Chafodd o ddim cam oherwydd ei horia gwaith hi, beth bynnag. Wel, ddim nes symudodd hi i'r swydd yn y gwesty 'na yn y dre."

Gwasgodd Iwan hi ato.

"Go dda'r hen Lun! Chwilio am ddaioni ym mhawb."

"Tybed?" gofynnodd Eluned yn dawel. Cododd, i ddechrau cadw'r llyfrau a ddodasai ar y bwrdd. Llithrodd yr uchaf o'r pentwr ac agor wrth syrthio.

> Dy felltith ydyw'r ddawn a roed i ti
> I lenwi'r gwagle â thydi dy hun.
> Dysgaist i minnau lenwi a lliwio'r byd,
> Nad yw ond gwag a deuliw, ag amlder lliw a llun.

T.H. Parry-Williams. Arwydd pendant i Iwan fod yn y felan rywbryd heddiw. Gwyddai Eluned ers talwm am ei duedd i droi i'r *Cerddi* pan deimlai'n isel. Beth oedd, tybed? 'Medi'n Fedi o hyd,' (a llurgunio tipyn), ond un ac un yn methu'n druenus â gwneud dau? Rhag i'r felan ei goresgyn hithau hefyd, trawodd y llyfrau'n gadarn yn y cwpwrdd a chau'r drws arnynt. Yna ymosododd ar y domen bapurau newydd ar y llawr a throi'r stori.

"Mae misoedd dan noson Guto Ffowc."

"Be?"

"Y papura 'ma. Hel am goelcerth?"

Gafaelodd yn yr un y buasai Iwan yn ei ddarllen a sylwodd ar y dyddiad. Mynnodd y stori din-droi yn ei hunfan.

"Blwyddyn i heddiw oedd hi 'te?"

"Blwyddyn i heddiw oedd be?" gofynnodd Iwan yn ochelgar.

"Y daeth d'ysgariad di drwodd.''

"Mae dy go di'n wyrthiol.''

"Tybed?'' ailadroddodd Eluned yn sychlyd. "'Roeddwn i'n ama fod yna rywbeth yn dy gorddi di, brawd. Rhyw surni yn dy dôn di wrth sôn am Medi.''

Daeth yr olwg gythruddgar yn ôl i lygaid Iwan.

"Gad hi, wnei di?'' cyfarthodd.

"Na wnaf, Iwan,'' atebodd Eluned, â'i llais yn llawn o'r tawelwch pendant y daethai Iwan i'w adnabod mor dda. "Mae angen trafod ar y ddau ohonon ni. Ti am dy fod di wedi gwasgu'r gwae o'r golwg yn dy grombil ers blwyddyn. A finna... finna am fy mod i'n dy garu di.''

"Lun...''

"Sori, nid heddiw oedd y dydd mwya addas i ddweud hynna. Ond 'rydan ni'n... ffrindia ers cymaint o flynyddoedd, Iwan. Mi fedret ti siarad hefo fi yn y coleg ers talwm; bwrw dy fol am yr hogan 'roeddet ti wedi gwirioni dy ben amdani adre, a honno...''

"A honno'n chwarae'n wirion yn fy nghefn i. Ia, mi wn i'n iawn. A mi fedra i gofio dy gyngor di hefyd — gadael llonydd iddi. Paid ag edliw i mi, er mwyn y nefoedd; mae'n rhy hwyr.''

"'Does gen i ddim lle i edliw, nac oes?''

"Dim lle?''

"'Roedd gen i fy rheswm dros dy 'gynghori' di, on'd oedd?''

"Be? Eluned...?''

"O, hidia befo. Mae 'na alwyni wedi mynd dan y bont ers hynny.'' 'Roedd y sgwrs yn rhy boenus wedi'r cyfan. Troes y stori unwaith eto, er ei gwaethaf.

"Mi gliria i'r lle 'ma. Mae o fel tomen gen ti.'' Aeth i'r afael â'r pentwr papurau yr eildro. "Be am baned o goffi?''

Dihangodd Iwan i'r gegin i roi dŵr yn y tecell â'i feddwl yn gythryblus. Buasai'n edrych ymlaen am gael cwmni Eluned i'w sadio ychydig ar ddydd pen-blwydd ei ysgariad, yn enwedig wedi i'w fam ddwyn Peredur oddi arno bore. A dyma hi'n mynnu troi'r drol bob munud. Gafaelodd yn filain

63

yn y bowlen siwgr nes colli peth o'i chynnwys hyd y llawr. Creinsiai'r siwgr dan ei draed fel dincod ar ddannedd.

"Damio!" ysgyrnygodd.

"Mae'r tŷ 'ma rêl cwt mochyn. Symud i mi gael sgubo." Ni chlywsai Eluned yn dod ar ei ôl gyda'r papurau i'r bin sbwriel.

"Dos yn ôl drwodd: mi wna i'r coffi," meddai hi.

Ufuddhaodd Iwan a mynd i eistedd i'r lolfa. 'Roedd arno angen merch fel Eluned: merch hunanfeddiannol, merch atebol, merch y gallai ddibynnu arni. Oedd, 'roedd arno'i hangen. Ond a oedd arno o ddifrif calon ei heisiau?

Crwydrodd ei feddwl yn ôl at y storm o wraig a fu iddo gynt. Medi, yr eneth ifanc, nwyfus, ddiegwyddor, y syrthiodd mewn cariad â hi yn yr ysgol, ac y parhaodd yn ffyddlon iddi drwy gydol ei ddyddiau coleg er gwaethaf ei chrwydradau mynych y tu ôl i'w gefn. Ei phriodi'n syth ar ôl gorffen ei gwrs er mwyn gwneud yn siŵr ohoni. Eironig iawn! meddyliodd. A'i fab yn dod i'r byd ymhen blwyddyn union. Ei unig-anedig fab: fe ofalodd Medi am hynny. Medi nwydwyllt, luniaidd, hardd, ddieflig. Am wyth mlynedd bu eu priodas yn un llanast o garu a llawenydd yn gymysg ag anniddigrwydd drycinog.

Ond pwy allai ddofi Medi? Ysai am ddihangfa drwy gydol babandod Peredur, a chydiodd yn dynn â'i dwy law yn y swydd honno yn yr Ysgol Uwchradd pan aeth y bychan i'r Babanod. Yna, pan oedd Peredur yn saith, barnodd Medi, yn erbyn ewyllys Iwan, ei fod yn ddigon hen i ymdopi drosto'i hun am awr neu ddwy ar ôl yr ysgol ambell dro nes i'w dad ddod adref o'i waith, a chymerodd swydd mewn gwesty fel croesawydd. Aeth eu bywyd teuluol i'r gwellt: Medi'n gweithio oriau anghymdeithasol, Iwan yn gorfod ysgwyddo mwy na'i siâr o waith y cartref, a Peredur yn methu â dirnad y tro ar fyd na dygymod ag ef. Medi'n morio drwy ryddid hir-ddisgwyliedig, Iwan yntau'n dioddef caethiwed cynyddol, a Peredur druan yn mynd fwyfwy i'w gragen wrth glywed y ffrwydro ffraeo pan daniai matsen gwylltineb y naill bowdwr tymer y llall. Yn y diwedd, pan ddatblygodd Peredur atal dweud a dechrau gwlychu'r gwely'n wyth oed, bygythiodd Iwan ysgaru'i wraig am ymddwyn mor afresymol, gan obeithio y dôi at ei choed. Er mawr ofid iddo, swniai'r gair 'ysgaru' fel tinc cloch ysgol ddiwedd pnawn i glustiau Medi, a chytunodd heb feddwl eilwaith. Symudodd o'i chartref yn ddi-oed ac aeth i fyw i'r gwesty. Erbyn hynny, amheuai Iwan ei bod hefyd wedi ailgydio yn ei hen driciau o hel dynion, er na allai brofi dim. Ni fu ganddo ddewis ond cyflawni'i fygythiad i'w hysgaru am ei hafresymoldeb, a derbyniodd Medi'i dedfryd yn ddigydwybod. Gadawodd i Iwan gadw Peredur, wrth gwrs. Trefnwyd iddo fynd ati i aros dros y Sul bob pythefnos, ond bellach dyma'r eildro'n olynol iddi'i wrthod. Rhyw briodas yn y gwesty oedd yr esgus y tro hwn. Tybed? meddyliodd Iwan. 'Roedd Eluned yn iawn, yn dweud fod surni'n ei geulo heddiw. Pan gludodd hi'r cwpaneidiau coffi i mewn, cyfaddefodd hynny wrthi. Eisteddodd hithau gyferbyn ag ef a sipian ei choffi'n bwyllog.

"Dim ond blwyddyn sy byth, cofia. 'Dydi blwyddyn fawr hwy nag amrantiad yn y fath amgylchiada," ceisiodd ei gysuro.

"Digon hir i gynefino, siawns," meddai Iwan yn ddiamynedd.

"Rhaid i ti dderbyn cyn y gelli di gynefino, wyddost ti."

"'Rydw i wedi derbyn. Ond fedra i ddim anghofio, Lun."

"Iwan!" meddai Eluned dan gyffwrdd yn ysgafn â'i fraich. "Pwy sy'n disgwyl i ti anghofio? Mi fu Medi'n ddarn ohonot ti am bymtheng mlynedd bron. Fedri di ddim dileu rhan annatod o dy brofiad fel rhwbio marc pensil oddi ar bapur. Mi fydda rhywbeth o'i le ar dy bersonoliaeth di pe baet ti'n medru anghofio."

"Bydda. Ti sy'n iawn." Gafaelodd yn y llaw a orffwysai fel pluen ar ei fraich. "A chan ei bod hi'n amser cyffesu..."

"Ia?" Gwridodd Eluned. Byrbwylledd fu iddi gyfaddef fod ganddi galon yn ogystal â chlust, er gwaethaf cellwair caru'r misoedd diwethaf.

"Meddwl 'roeddwn i rŵan, tra oeddet ti yn y gegin, meddwl... gwybod, a dweud y gwir... fod arna i dy... angen di."

Nid detholwr petrus ar eiriau mo Iwan. Ansicrwydd yn ei ddofi? Y tro hwn, Eluned oedd yr un a gododd i syllu ar y môr. Rhaid oedd iddi geisio datrys llinynnau clwm ei theimladau. Iwan ei hangen? Angen ei chlust a'i chwmni, efallai, ond beth am ei chorff, ei chariad?

"Mae ar Peredur d'angen di hefyd. Mi ddôi i arfer efo ti."

Arfer! Hen air cymrodeddol.

"Mi fedret ti ddod â thipyn o sefydlogrwydd i'w fywyd o. 'Rwyt ti'n ei ddeall o, yn fwy amyneddgar hefo fo na fi'n aml iawn. Prioda fi, Eluned."

Dal i syllu drwy'r ffenestr â'i chalon yn curo a wnâi Eluned. Geiriau o fiwsig o'r diwedd, a'r rheini allan o diwn. Beth am y balchder piwis yma a fynnai wahardd iddi fodloni ar gariad unochrog? A phoen y blynyddoedd tywyll hynny tra bu Medi'n disgleirio fel lamp i ddallu Iwan? Gwir fod y lamp wedi cilio bellach, ond yn sicr nid oedd wedi diffodd. Amheuai nad oedd wedi pylu rhyw lawer, hyd yn oed. Yn bendant, cydiodd Iwan yn y gwydr llosg pan daflodd hi o'r naill du flwyddyn yn ôl, a daliai'r creithiau i'w serio.

"Eluned." Safai y tu ôl iddi'n awr. "'Rwyt ti'n rhy gall i gymryd dy dwyllo. Hyd yn hyn, fedra i ddim honni 'mod i'n methu byw hebot ti. Ond mi fedrwn i fyw hefo ti, yn hapus. A thitha hefo minna, waeth i ti heb â gwadu. Mi fedra'r tri ohonon ni fyw hefo'n gilydd, hynny sy'n bwysig. Ar ôl brwydro drwy gorwynt am yr holl flynyddoedd hefo Medi, mi wn i mai hynny sy'n bwysig."

"Sgwn i?" meddai Eluned o'r diwedd. "Mae'r môr yna'n llonydd fel gwydr heddiw, Iwan. Ond mi wn i be ddenodd di i fyw yn fan'ma. Tonna'n hyrddio'u hewyn ar greigia a swn gwynt yn chwyrlïo yn y simneia." Troes i'w wynebu. "'Rwyt ti wedi d'eni i hwylio drwy storm, wyddost ti."

"A thitha'n rhy lwfr i fentro?" 'Roedd her yn ei lais a fflachiai sialens yn ei lygaid.

Teimlodd Eluned ei holl gorff yn llenwi â dicter. Ni wyddai pa un ai ei watwar ef ai ei phetruster ei hun a'i cythruddai fwyaf. Yn rhy lwfr i fentro, a hithau wedi disgwyl cyhyd? Balch a briw, efallai, ond llwfr — byth! Ar amrantiad, penderfynodd.

"Damio ti, nac ydw!" Erlidiwyd y sialens o'i lygaid gan
syndod. "Mi fentra i. Ond wyt ti'n *barod*, Iwan? 'Dydw i
ddim mor siŵr. Cadw draw fydda ora i mi am sbel, gadael
llonydd i ti gnoi dy gil ar y cawdel teimlada 'na sy'n dy fwydro
di. Mi wyddost yn iawn lle i gael hyd i mi os bydd arnat ti
f'eisio i." Cerddodd allan gydag urddas yn ei hosgo er
gwaethaf ei dicter.

Diosgodd ei hurddas wrth wisgo'i chôt, a tharanu i lawr
llwybr yr ardd â honno'n cyhwfan o'i hôl fel llong ar lawn
hwyl. Gwyliodd Iwan hi dan led-wenu'n syn. Gwyddai, fe
wyddai ym mhle i gael hyd iddi, pan fyddai arno'i heisiau.
A hwyrach nad amrantiad mo'r flwyddyn a aethai heibio,
wedi'r cyfan. Meddyliodd:

" 'Oes, o oes y mae
Dewin sy'n gwneuthur gwyrthiau, ac a bair
Ymddangos o bob gwagle megis pe na bae'. "

Ysgariad
ii. Medi

Gwnaeth Medi geg sws arni'i hun yn nrych ei bwrdd gwisgo i archwilio'i minlliw cyn blotio'i gwefusau â hances bapur. Yna byseddodd y croen o dan ei llygaid gleision. Dim arlliw o grychni. Gwenodd yn foddhaus. Dyma hi, bron yn ddeuddeg ar hugain oed, a thryblith y blynyddoedd wedi methu'n llwyr â gadael eu hôl arni. Bellach, a'r tryblith y tu cefn iddi, gallai rwystro'r dirywiad rhag dechrau: byw'n Nia Ben Aur am byth.

"'Nia Ben Aur o Dir na n-Og', " canodd. 'Roedd y record ganddi. Cofiai Iwan yn chwerthin am ei phen yn meddwl mai dim ond opera roc oedd Nia Ben Aur, a pheri iddi wylltio'n gacwn! Sut oedd disgwyl iddi hi wybod am ryw rwtsh o Iwerddon a hithau wedi gadael yr ysgol yn un ar bymtheg? Mwy na thebyg ei fod yn llenwi pen Peredur hefo'i holl lol-mi-lol erbyn hyn.

Diolch byth ei bod wedi llwyddo i osgoi cymryd Peredur heddiw, meddyliodd wrth dynnu'i gwisg ddu dynn am ei chorff lluniaidd. Rhy brysur oherwydd y briodas yn y gwesty: nid aethai i fanylu. Estelle, merch y gwesty, oedd yn priodi, ac er mai ychydig o deulu a ffrindiau agos yn unig a aethai i'r gwasanaeth a'r neithior, heno cynhelid anferth o barti a chawsai hi a Lowri, y groesawferch arall, wahoddiad i hwnnw. Penwythnos rhydd oedd hwn i fod iddi, ond trefnasai i edrych ar ôl y ddesg bob yn ail â Lowri er mwyn i'r ddwy ohonynt gael siawns ar y parti.

Waltsiodd Medi'n ôl at y drych i gribo'i gwallt llaes melyn-potel. Daethai'n amser iddi fynd at y ddesg i ryddhau Lowri. Câi fwynhau'r parti'n hwyrach. Trawodd esgidiau duon gyda sodlau main tair modfedd am ei thraed a mân-gamu i lawr y grisiau.

"Reit, ffwr' â chdi, Low."

"Smart," meddai Lowri. "Pam na fedra i edrych fel'na?"

69

"Dos di rŵan, del, i drio," gwenodd Medi'n nawddoglyd arni. Ni welodd Lowri'n gwneud siâp ceg "hen ast". Pe'i gwelsai, ni fuasai wedi synnu. Gwyddai nad oedd gan ferched y dref fawr o feddwl ohoni, yn arbennig y rhai priod. Ers yr ysgariad ystyrient hi'n fygythiad i'w dedwyddwch teuluol. Bygythiad o ddiawl! Pwy âi i drafferth i ddwyn un o'u gwŷr pawennog nhw? Syrthio'n ôl i'r trap yr oedd newydd ddianc ohono? Dim ffiars!

Taflodd gipolwg ar y dyddiadur ar y ddesg. Tua'r adeg yma llynedd y daethai'n rhydd o'r trap. Câi ddathlu heno, dathlu'i rhyddid mewn parti i ddathlu carchariad Estelle. Dyna jôc! 'Eironig' fuasai gair Iwan. Beth wnaeth o hefo Peredur heddiw, tybed? Diolch i'r drefn iddi *hi* gael osgoi baglu drwy gerrig glan y môr, neu gael ei diflasu gan *Ghostbusters* neu rywbeth ar y teli, a'i chadw'n effro gan hunllefau Peredur wedyn. Parti fwy yn ei lein hi o lawer: 'roedd hi'n argoeli am noson dda heno.

Nid felly y tybiai Lowri: dychwelodd o'r parti'n gynnar.

"Mae'r giwed 'na'n codi cyfog arna i. Dos di rŵan," meddai.

"Siŵr?"

"Hollol."

Nid oedd angen dweud eilwaith wrth Medi. Aeth i fyny i'w llofft i drwsio ychydig ar ei cholur a chribo'i gwallt cyn cychwyn am yr ystafell fwyta lle cynhelid y parti. Yn y drws, safodd am eiliad fel pe bai ar fin ymddangos ar lwyfan cystadleuaeth Miss Byd; yna cerddodd i mewn fel brenhines.

"Medi, cariad! Ti'n *ravishing*!" Siaradai Estelle mewn eithafion lledieithog. "*Fantastic*!" Troes at ddyn a safai gerllaw. "John, nôl *drink* i Medi, plîs. Hwyl i ti, cariad."

Gwreichionodd John ei lygaid duon i lawr arni o daldra'i chwe throedfedd fel un o arwyr Cyfres y Fodrwy.

Ravishing, fantastic, meddyliodd Medi yn nhermau'r briodferch. A gŵr Ann, cyfnither Estelle. Gwelsai hi'n eu cyfarch yn y cyntedd pan gyraeddasant ddoe, a rhoesai Lowri'i sylwebaeth arferol ar y gweithrediadau gan egluro pwy oeddynt.

"Be gym'ri di?"

"*Spritzer*, plîs."

"Cymysgu dy win hefo dŵr ar noson o ddathlu?"

"Mi ddathla i'n o fuan. *Spritzer* rŵan."

"Chdi ŵyr."

Diflannodd John tua'r bar. Byddai'n noson hir, meddyliodd Medi. Gwell peidio â lyshio gormod ar y dechrau. 'Roedd golwg rêl deryn ar hwn, a'r musus yna'n siŵr o gadw llygad barcud arno. Fel y dychwelai John gyda'r gwin gwyn a'r dŵr Perrier, ymddangosodd Ann drwy'r dyrfa. Gwenodd yn sychlyd ar Medi.

"John, dawnsio."

Rhoes John winc ar Medi y tu ôl i gefn ei wraig; dim ond cysgod winc, fel pe bai tic ar ei amrant. Lled-wenodd Medi wrth dderbyn ei *spritzer*. A phwy a fu cystal â rhybuddio Ann, tybed, fod ei hannwyl briod ar fin syrthio i grafangau merch ysgarlad? 'Roedd hwnna'n fwy na pharod, beth bynnag.

Ond 'doedd Medi ddim. O nac oedd! Os diffrwyth ei chydwybod, nid felly ei bysedd, a gallai'n hawdd eu llosgi wrth chwarae â thân. Ffling iawn hefo dyn dilyffethair oedd ei hangen heno.

Daeth Alan, brawd Estelle, i ofyn iddi ddawnsio a dododd ei gwydryn ar fwrdd. Fe wnâi hwn y tro: 'roedd o'n eithaf pishyn. Bu'r ddau'n chwyrlïo o gylch y llawr am beth amser heb siarad, ond cyn hir daeth merch atynt. Llonyddodd Alan, a cheisiodd y ferch weiddi rhywbeth yn ei glust drwy'r twrw. Amneidiodd Alan.

"Esgusoda fi." Bloeddiodd ar Medi. Nodiodd hithau'i phen a dychwelyd at ei diod. Eisteddai Lowri wrth y bwrdd.

"O le doist ti?" gofynnodd Medi.

"Y bòs yn deud bydd y ddesg yn iawn am dipyn. 'Doedd arna i ddim eisio dŵad chwaith. Lle'r oeddet ti?"

"Yn dawnsio hefo Alan."

"Ufflon, gefaist ti lonydd gan yr hogan 'na?"

"Mi ddaeth 'na rywun i'w fachu o rŵan. Pwy ydi hi?"

"Rhyw lefran sy'n gweithio yn yr hotel 'na yn Llundain lle mae o'n *chef*. Heno cyrhaeddodd hi, pan oeddet ti'n gwisgo."

"O." Mingamodd Medi. Un arall ofn iddi weld ei gwyn ar ei dyn. Iawn. Os digwyddai hyn *unwaith* eto, fe chwaraeai hithau'r gêm. Dim ond am heno; i ddathlu!

Nid unwaith y digwyddodd, ond deirgwaith o fewn awr. Codai gwres a gwrychyn Medi radd yn uwch bob tro, a phan ymgnawdolodd John o'i blaen o blith y dawnswyr, 'roedd yn barod amdano.

"Dal ar risial pur ffynhonna Ffrainc?" Anwesodd y llygaid duon hi'n garuaidd gan oedi am un ennyd fer ar ei bronnau llawn.

"Be ydach chi'n baldaruo, deudwch?"

"Dal i ddyfrio'r gwin."

"O, nac ydw. Fodca an' orenj oedd y dwytha."

"Fodca an' orenj amdani 'ta. Paid â diflannu."

Dychwelodd ymhen ychydig funudau gyda fodca iddi hi a chwisgi iddo'i hun, y ddau'n ddiodydd dwbwl.

"Gefaist ti fwyd eto?" gofynnodd iddi.

"Naddo. Fawr o eisio dim. Gefaist ti?"

"Do. Criw ohonon ni wedi trefnu i fwyta hefo'n gilydd."

"A sut medraist ti ddengid odd' wrth y ... 'criw' 'ma?"

"Dengid? Dim angen. 'Dwi mor rhydd â deryn bach."

"Felly!"

"Am be 'rwyt ti'n berwi, dywed?"

"Dim ond fod dy fodan di, fel fodins pawb arall, wedi rhuthro i hawlio'i gŵr gynna."

"Fel fodins pawb arall? Pam? Wyt ti'n dipyn o Mata Hari?"

"Mi fasa'n haws ateb pe bawn i'n gwybod pwy ydi honno."

"Hidia befo. Tyrd drwodd i'r snỳg. Mae 'ma ormod o dwrw yn fan'ma."

Arweiniodd hi i gilfach dywell yn y bar bach ac eistedd yn glòs wrth ei hochr.

"Rŵan 'ta. Be ydi'r holl falu 'ma? Pam 'rwyt ti'n honni bod gymaint o dân ar groen merched y dre 'ma?"

"Taset ti'n byw yma, mi wyddet."

"Hwyrach wir. Ond Cymro ar wasgar ydw i."

Troes Medi i edrych arno â'i llygaid fel dwy soser.

"O'r Mericia?"

72

"Nage. O Lerpwl." Chwarddodd y ddau. "Wel?"

"Gadael 'y ngŵr a 'mab wnes i, a dŵad i fyw i fan'ma.
Cael ysgariad tua blwyddyn yn ôl. Fo oedd y drwg, cofia: fo
soniodd am ddifôrs yn y lle cynta. Ond dathlu'r achlysur
'rydw i." Trawodd ei gwydr yn erbyn un John a sipian ei diod.
"Dathlu blwyddyn gyfa o ryddid ar ôl deg o garchar."

"Os dyna d'athroniaeth di, pam priodi yn y lle cynta?
Mae'n rhaid dy fod di'n ifanc..."

"Ugian, a dim gorfod wnes i chwaith."

"Iawn, iawn. Dal dy ddŵr. Faint ydi oed y plentyn?"

"Deg."

"Oed diddorol i dad. Hefo fo mae o, debyg gen i."

"Ia, diolch byth. Mae o'n dŵad ata i i aros bob pythefnos,
ond fedrwn i ddim gneud hefo fo heddiw."

Tynnodd John ei fraich oddi amgylch ei hysgwyddau.

"Petha eraill yn galw, debyg. Pryd gweli di o nesa?"

"'Dwn i ddim. Ymhen pythefnos, mae'n siŵr. Os . . . na
fydd rhywbeth arall yn galw eto."

"Mam go... anghyffredin."

"Mi ofalais i amdano fo'n iawn pan oedd o'n fach. Adre
hefo fo drwy'r adeg nes iddo fo fynd i'r ysgol. Dyna oedd
y drwg. Iwan yn cael ei heglu hi i'r swyddfa bob dydd, a
finna'n gaeth yn y tŷ 'dat fy nghorun mewn clytia a photeli.
Mi ges fynd allan i weithio pan aeth Per i'r ysgol, diolch i'r
nefoedd."

"Fedraist ti gael gwaith addas? Fel mam i blentyn bach?"

"Hy! Fel mam i blentyn bach, do. Ond nid fel fi fy hun.
Job deipio yn yr Ysgol Fawr. Os oedd gen i un coblyn adre
'roedd yno fil a chwaneg o'r rapscaliwns yn fan'no. Dyna pam
y symudais i i weithio yn fan'ma gyda tyfodd Per yn ddigon
mawr i 'neud diod a brechdan iddo'i hun."

"Faint oedd ei oed o'r adeg honno?"

"Rhyw saith neu wyth."

"Braidd yn ifanc, 'doedd?"

"Oes gen ti blant?"

Bu distawrwydd am ennyd.

"Nac oes. Fel mae'n digwydd."

73

"Wel pa hawl sy gen ti i bregethu wrtha i 'ta? Wyddost ti ddim am be 'rwyt ti'n sôn."

"O'r gora, o'r gora! Triws?" Gwenodd John arni, i geisio dileu'r osgo anfoddog o'i gwefusau llawn.

"Paid â chwarae plant," cyhuddodd Medi.

"'Dwyt ti ddim yn rhy hoff o chwarae plant, nac wyt? Dy fab di dorrodd dy briodas di felly, mewn gwirionedd, nid dy ŵr?"

"Ffraeo o achos Per ddaru ddifetha'n perthynas ni."

"A rŵan, 'rwyt titha'n rhydd i chwythu dy gorwynt drwy'r dre a chreu hafog ymysg teuluoedd, wyt ti?" cellweiriodd John.

Tywyllodd wyneb Medi fel awyr daranau a chulhaodd ei llygaid. Cododd ei llaw i'w daro ond cythrodd John i'w braich.

"Hei, hei! Tipyn o fellten, 'dwyt? Chdi dy hun ddeudodd fod holl wragedd priod y dre 'ma'n dy ddrwgdybio di, cofia. Mae ganddyn nhw le i d'ama di hefyd, 'does?"

"Dim rhithyn."

"Taset ti mor ddiniwed, fyddet ti ddim yn fan'ma hefo fi."

Cododd Medi ar ei thraed.

"Gwranda di! Chyffyrddais i 'rioed ben fy mys yn yr un o'u gwŷr glafoeriog nhw, a chyffyrdda i ddim ynot titha chwaith. 'Rydach chi'r tacla priod yn ormod o drafferth. Os nad ydi dyn yn rhydd mi gaiff gadw'i..."

"Protestia di faint fynnot ti, mi goelia i dy fod di â dy feddwl gyda chdi i gael tipyn o hwyl heno, 'rhen chwaer." Agorodd Medi'i cheg i'w dafodi unwaith eto ond ni chafodd gyfle. "Mae arna i ofn nad fi fydd dy ddyn di. Yn anffodus!" Edrychodd John ar ei oriawr. "Amser gwahanu."

"A chditha mor rhydd â deryn bach?" edliwiodd Medi.

"Os mynna i, ydw; mi gym'ra i ambell ffling, 'dwi'n cyfadde. Ond yn groes i ti, 'dwi'n ddigon bodlon hedeg yn ôl i 'nghawell bob tro. Rhaid i mi d'adael di rŵan. Mae Ann yn mynd i'r ysbyty fory yn barod am brofion ddydd Llun."

"Pam? Be sy'n bod arni hi?" Poerodd y geiriau'n wawdlyd.

"Dim byd mawr. Ond mae 'na dipyn o daith i wlad addewid y gwyrda Steptoe ac Edwards. Hwyl i ti."

Steptoe...? Nid yr un rhai oedd cysylltiadau'r enw i Medi ag i John. Pendronodd am ennyd, cyn ysgwyd ei phen a chychwyn i brynu fodca arall iddi'i hun. Beth a wnâi nesaf? Mynd yn ôl i'r parti i chwilio am ddyn eto? Rhywun sengl, digymhlethdod, y tro hwn, i roi tipyn o hwyl iddi yn lle mynnu'i chuddio mewn cornel o olwg llygaid cenfigennus. Nage, meddyliodd. I'r diawl â nhw i gyd! Cludodd ei gwydryn i fyny i'w llofft.

Yno, dadwisgodd, gan adael ei dillad yn un sypyn ar lawr cyn mynd ati i dynnu'r colur oddi ar ei hwyneb. Rhythodd yn filain i'r drych yng ngolau creulon y lamp. Tybed, tybed, nad oedd gan Nia Ben Aur un rhych bach ger ei llygad chwith wedi'r cyfan?

Llowciodd ei fodca ar ei dalcen a dringo i'w gwely. Heno, teimlai cofleidiad y cynfasau cyn oered ag anwes dyn marw.

Ysgariad
iii. Peredur

Gorweddai Peredur ar ei fol ar garped cegin fyw ei nain â'i drwyn yn nhudalennau *Drws Dychymyg*. O dro i dro, winciai'n galed i geisio cadw dagrau o'i lygaid, ond mynnai'r diferion orlifo er ei waethaf a difwyno papur glân ei hoff lyfr. Chwilotodd yn llawes ei siwmper am hances boced i sychu'i lyfr a'i lygaid, yna chwythodd ei drwyn, cyn ddistawed ag y gallai rhag ofn i'w nain ei glywed. Gallai ef glywed gwich lafurus ei brest gaeth hi'n glir fel y cerddai'n bwyllog hyd lawr y llofft uwch ei ben. Gwyddai Peredur beth oedd ei thasg: newid ei gynfasau ef. Pam, O pam y bu raid iddo wlychu'r gwely neithiwr, o bob noson, ac yntau wedi bod yn sych ers misoedd bellach?

Ymlwybrodd sŵn y traed tua phen y grisiau ac i lawr yn araf deg. Ni chododd Peredur ei ben o'i lyfr fel yr agorai'r drws.

"Be wyt ti'n ei ddarllen, 'ngwas i?"

"*D-drws D-d-dychymyg.*"

"Sgut am farddoniaeth, on'd wyt? Yn union 'run fath â dy dad."

Safodd Sara Huws uwch ei ben.

" 'Yn nheyrnas diniweidrwydd
Mae'r sêr yn fythol syn', "

darllenodd. Yna gwibiodd ei llygaid o un pennill i'r llall.

Mae dyn o hyd yn Eden,
A'i fyd, di-ofid yw;
Mae'r preseb yno'n allor,
A'r Baban yno'n dduw.

Taflodd gipolwg dryslyd ar ei hŵyr cyn parhau i astudio'r gerdd.

Yn nheyrnas diniweidrwydd —
Gwyn fyd pob plentyn bach
Sy'n berchen llygaid llawen
A phâr o fochau iach!

"Gwaith ysgol ydi o?"

"Nage."

"O. Wyt ti'n dallt y gân yna?"

"D-dipyn bach. D-dim i gyd. Lecio'i sŵn hi."

Trawodd Sara Huws ei baich cynfasau ar gadair i gael penlinio'n llafurus wrth ei ochr.

"Be arall sy ynddo fo?"

Troes Peredur y tudalennau, ac oedi uwchben 'Hwiangerdd Dinogad' a 'Gwyn ap Nudd' a 'Rhyfeddodau'. Tasgodd deigryn eto, a sychodd ei lygad yn lladradaidd â chefn ei law.

"'Does yna ddim penillion doniol?" gofynnodd ei nain, dan gymryd arni na welsai'r dagrau.

"'Ras'," meddai Peredur, "a Saith Rhyfeddod" a b-ballu."

"'Rydw i'n cofio dy dad yn adrodd 'Ras' yn steddfod yr ysgol ers talwm. Tro cynta erioed iddo fo gystadlu. Be am ei ddarllen hi i mi? Chlywais i mohoni hi ers blynyddoedd."

"Dim eisio."

"Fel fynnot ti. Be am i ti gael cip bach ar gomic 'ta? Ddoist ti ag un hefo chdi?"

"Naddo, 'ddrwg gen i, Nain."

"Fasat ti'n lecio i mi chwilio am un i ti? Mi fydda'r hen rai fyddet ti'n eu darllen ers talwm yn newydd i ti rŵan. Maen nhw yma yn rhywle. Choelia i byth nad oes 'ma rai ar ôl dy dad, hyd yn oed."

"D-dim d-diolch."

"Y teledu 'ta?"

"Na, d-dim diolch."

"O wel. Chdi ŵyr."

Crafangodd Sara Huws am ymyl y bwrdd i halio'i chorff sylweddol ar ei thraed, cyn gafael yn y pentwr golchi a mynd ag ef i'r cefn i'w daro yn y peiriant. Yna gwnaeth gwpanaid o goffi bob un iddi'i hun a'i hŵyr.

"'Stedda wrth y bwrdd yn iawn hefo hwn rŵan, Peredur, rhag ofn i ti ei droi o am ben dy lyfr a'r carped."

Caeodd Peredur y llyfr a chydio'n dynn ynddo cyn ufuddhau'n anfoddog i'w nain dan droi'i wyneb draw.

Eisteddodd Sara gyferbyn ag ef, gan benderfynu anwybyddu'r llygaid cochion unwaith eto.

"Mae'r hogia'n cicio pêl yn y cae chwarae. Pam nad ei di atyn nhw?"

"'D-dwi'n 'nabod neb yna."

Edrychodd Sara Huws drwy'r ffenestr.

"Mae Gari drws nesa'n cyrraedd yna rŵan. Wedi bod yn newid ar ôl yr Ysgol Sul, mae'n siŵr, i gael gêm bach cyn cinio. Dos, 'rwyt ti'n 'nabod Gari."

Dim ateb.

"A mi fyddi yn yr Ysgol Fawr yn y dre hefo'r lleill cyn hir. Tasat ti'n mynd allan i chwarae mi ddoet i'w 'nabod hwytha hefyd. Gwneud ffrindia cyn cychwyn yno."

"'D-dim eisio, Nain, sori. 'Dwi'n dda i ddim am chwara pêl-droed."

Ysgydwodd Peredur ei ben a syrthiodd deigryn arall i'r coffi. Ochneidiodd Sara Huws. 'Roedd yn rhaid i'r plentyn dynnu'i ben o'i blu rywbryd. Cododd a symud ei chadair at ei ochr.

"Poeni am y gwely 'rwyt ti, Peredur?"

Amneidiodd y bachgen.

"Dim rhaid i ti. Fûm i fawr o dro â delio hefo hwnnw. Job dynes ddiog ydi golchi a'r peiriant yna ar gael."

Dim cysgod o wên. I'r gwrthwyneb: dechreuodd feichio wylo.

"Peredur, 'ngwas annwyl i!" Cofleidiodd ei nain ef yn dynn. "Rŵan, f'aur i, mae'n rhaid i ti drio dweud wrth Nain be sy'n dy boeni di. Tyrd di, be sy?"

"B-bob dim," ochneidiodd Peredur. "P-pawb."

"Dechra di yn y dechra 'ta," meddai Sara Huws yn garedig.

"'D-doeddwn i ddim wedi g'lychu'r gwely ers talwm, Nain. Ddim ers tua hanner blwyddyn, 'dwi'n siŵr! Sori, Nain."

"Popeth yn iawn, pwt. Damwain bach oedd neithiwr. Wnei di ddim eto, gei di weld. Os mai dyna'r cwbwl sy o'i le, 'does dim angen yr holl nadu 'ma. Ynte' oes 'na rywbeth arall yn bod? Mi deimlet ti'n well tasat ti'n dweud, wyddost ti."

"Mam," meddai Peredur. "Cau gadael i mi fynd i aros ati. Dim eisio fi."

"Siŵr iawn bod arni hi d'eisio di, Peredur. Nid dyna oedd."
Erfyniodd Sara am faddeuant am ei chelwydd. "Prysur oedd
hi ddoe."

"Nage," taerodd Peredur. "'Dwi'n gwybod yn iawn. P-
pan fydda hi a Dad yn ffraeo, cyn iddi hi fynd i ffwr', mi
fydda'n gweiddi enwa amdana i dros y tŷ, niwsans a ballu.
'Doeddwn i'n ddim byd ond poen iddi hi. A wedyn dyma
hi'n mynd am byth, a mi wn i'n iawn mai arna i 'roedd y
bai. Chefais i mo'i gweld hi ers mis rŵan."

"A mae arnat ti… eisio'i gweld hi?"

"Oes siŵr. Mam ydi hi." Wylodd, yn dawel y tro hwn.

"Ond mae dy dad gen ti, a mae ganddo fo feddwl y byd
ohonot ti."

"Nac oes! Mae ynta wedi fy hel i o dan draed hefyd, on'd
ydi? Fo ac Anti Lun."

Bu agos i Sara Huws â dechrau colli'i thymer ond daliodd
ei gwynt a chyfrodd yn araf i ddeg.

"Gwranda, Peredur," meddai, "fi awgrymodd i ti ddŵad
yma, achos dy fod di mor siomedig pan fethodd dy fam â dy
gymryd di. Eisio i ti aros adre 'roedd dy dad."

"Ond 'roedd Anti Lun yn mynd acw."

"Pa wahaniaeth oedd hynny'n ei wneud? Mae Anti Lun
yn hoff iawn ohonot ti, 'ngwas i. Be sy gen ti yn ei herbyn
hi?"

"D-dim byd."

"Paid â dweud dy gelwydd!"

"Nac oes wir! D-dim ond mai Mam sy i fod yn tŷ ni."

"Ddaw Mam byth i tŷ chi eto, Peredur." Gwyddai Sara
Huws fod tôn galed i'w llais er na fynnai frifo'r plentyn.
"Rhaid i ti sylweddoli hynny."

"Na ddaw, mae'n siŵr. Ond mi fasa Anti Lun yn dŵad
fory nesa," sylwodd y deg oed yn goeglyd.

"Ei busnes hi a dy dad ydi hynny."

"Ia. Fydd gen i ddim hawl i roi fy mys yn eu potes nhw,
mae'n siŵr."

"Wnân nhw ddim byd heb dy gysidro di, Peredur. Mi elli
fod yn hollol siŵr o hynny."

"Wedi gneud mae pawb hyd yn hyn."

Brawychwyd Sara Huws gan ei sinigiaeth. Un anodd ei amgyffred fuasai Peredur erioed, fel pe bai byw gyda dau riant mor allblyg a stormus wedi sigo'i hyder a'i anfon i'w gragen. Buasai'r drafodaeth hon yn gryn ddrama o gofio'i dawedogrwydd arferol. O, na fai Iwan yn ymysgwyd oddi wrth ddylanwad Medi. Gallai doethineb merch fel Eluned brofi'n iechydwriaeth iddo ef a'i fab.

"Pe bai Anti Lun yn dod atoch chi, sut basat ti'n teimlo?" gofynnodd.

"Ar y ffor'." Daeth yr ateb fel bwled.

"Rŵan, Peredur! Mi atebaist ti'n ddifeddwl, on'd do? Ystyria di am funud bach. Sut bydd Anti Lun yn dy drin di? Dy hel di o dan draed?" Gwyddai mai pardduo'i fam a wnâi'r ensyniad, ond nid edifarhaodd.

"N-nage." Yn betrus.

"Dyna ti 'ta. Mae hi'n mwynhau dy gwmni di, on'd ydi?"

"'Dwn 'im."

"Wel mi wn i ei bod hi. Be fydd hi'n ei wneud hefo ti?"

"Darllen."

"Fydd hi'n dy helpu di hefo dy waith cartre?"

"Bydd, 'run fath â Dad. 'Dwi angen lot o help."

"Fyddwch chi'n chwarae gêm neu rywbeth?"

"Byddwn. D-dominos a Gêm Steddfod a ballu. A chadw'r cwbwl yn syth ar ôl gorffen."

Gwenodd Sara Huws.

"Mae eisio gofalu am dy betha, wyddost ti."

"Ond mi fydda i'n methu cael hyd iddyn nhw wedyn, Nain."

"Pris isel i'w dalu am gwmni a sylw a help a charedigrwydd, Peredur," meddai hithau'n dawel. "Wyt ti'n lecio chwarae gema hefo Eluned?"

"Ydw, am wn i. Mae gynni hi lot o fynadd hefo fi. Mwy na Dad."

"Dyna ti 'ta. Be sy gen ti yn ei herbyn hi?"

"D-dim!" Daeth sŵn wylofus i lais Peredur eto. "D-dim ond mai... nid *Mam* ydi hi. Mae'n *ddrwg* gen i, Nain."

Gorfodwyd Sara Huws i gyfrif i ddeg unwaith eto. 'Roedd ymgysegriad y bachgen i'r hoeden o fam yna'n fwy truenus nag eiddo'i dad. Pe llwyddai Iwan i fwrw'r trawst o'i lygad, tybed a gâi Peredur wared â'r brycheuyn? Ynteu a oedd angen gwyrth ar Eluned? Wedi ystyried, penderfynodd na wnâi gormod o dosturi ond llesteirio Peredur.

"Gwranda, was," meddai'n bwyllog. "Mae Mam wedi mynd, a 'does gen ti ddim gobaith ei chael hi'n ôl. Mi wyddost hynny'n iawn, 'does dim angen pregethu wrthat ti. Pam na fedri di dderbyn?"

"Mi fasa'n haws tasa hi wedi marw."

Teimlodd Sara Huws grafanc oer yn gwasgu'i chalon.

"Rŵan, Peredur! Paid â dweud peth fel'na am neb."

"O, sori, Nain." Daeth gwich i'w lais. "'Dwi ddim eisio i Mam farw. Dim ond mai rhywbeth sy'n digwydd i chi ydi marw, nid rhywbeth ydach chi'n ei 'neud eich hun. F-fasa ganddi hi ddim help am hynny, na fasa?"

Cribodd Sara Huws ei bysedd drwy'i wallt golau cyrliog, a gwelodd y tristwch ingol yn nyfnderoedd ei lygaid, llygaid gleision ei fam.

"Na fasa, f'aur i."

"Ond 'dydi hi ddim wedi marw, nac 'di? Wedi t-troi'i chefn arna i mae hi."

Agorodd ei *Ddrws Dychymyg* unwaith eto, a synhwyrodd Sara'i fod yntau wedi troi'i gefn arni hithau, a dychwelyd i fyd unig ei gragen. Gan ddechrau yn niwedd y llyfr, byseddodd Peredur y tudalennau'n araf nes cyrraedd ei hoff gerdd. Saethodd y llinellau olaf oddi ar y papur, a gwanu calon ei nain:

Yn nheyrnas diniweidrwydd —
Gwae hwnnw, wrth y pyrth;
Rhy hen i brofi'r syndod,
Rhy gall i weld y wyrth!

Treftadaeth

Clywodd Rhisiart Parri'i ferch yn dod i mewn i'r llofft ar flaenau'i thraed, ond nid agorodd ei lygaid. Gwrandawodd arni'n anadlu wrth droed y gwely am eiliad cyn cychwyn yn ei hôl am ben y grisiau.

"I ble'r ei di?"

Cododd yr amrannau i ddatgelu pylni llygaid gleision llawn henaint; pylni camarweiniol a guddiai lwynog o feddwl.

"Mae gynnoch chi glyw fel 'stlum. 'Roeddwn i'n meddwl eich bod chi'n cysgu."

"I be cysgwn i yn y pnawn? Mi fydda'n effro'r nos os cysga i rŵan."

"Ydach chi am godi 'ta?"

"Faint o'r gloch ydi hi?"

"Hannar awr wedi un."

"Oes awr a hannar er pan gefais i 'nghinio?"

"Oes, Tada; mae'n rhaid eich bod chi wedi cael cyntun. Mi fasa'n well i chi godi."

"Mi ddo i rŵan."

"Wel dowch 'ta, rŵan hyn. 'Rydw i i fod yn y *Ladies' Club* erbyn dau."

"*Ladies' Club* o ddiawl," cyfarthodd Rhisiart Parri. "Ydi byw mewn tŷ cownsil hefo tŷ bach yn llofft yn gneud ledi ohonat ti?"

Collodd Megan ei thymer.

"O'r nefoedd! 'Rydach chi'n byw yn yr oes o'r blaen. Mi wyddoch o'r gora mai enw'r gymdeithas ydi *Ladies' Club* a dim byd i 'neud hefo lle 'rydach chi'n byw. Dowch yn eich blaen."

"O, dos, dos, dos. Mi fedra i godi fy hun yn iawn."

"A mi fedrwch, fedrwch chi?"

Tynnodd Megan y blancedi oddi arno. Crafangodd ei thad amdanynt a'u llusgo'n ôl drosto.

"Medra. Wyt ti'n meddwl mai babi ydw i?"

"Chi ddeudodd, nid fi."

"Dos, hegla hi at dy ledis."

"Nefoedd, 'rydach chi'n benstiff. Arna i gwêl pobol fai os syrthiwch chi a thorri'ch coes."

"Chân nhw mo'r fraint. Mi fydda i'n iawn."

"O wel, chi ŵyr."

Troes Megan am y drws, ond oedodd braidd yn bryderus cyn mynd drwyddo.

"Galwch ar Dafydd os byddwch chi mewn trybini."

"Deio? Ydi Deio adra?"

"Ydi. Mi ddaeth amsar cinio. 'Does bosib na chlywsoch chi dwrw'r racsyn car 'na sy gynno fo?"

"'Run smic."

"Dyna chi, ylwch. Mi ddeudais i wrthach chi'ch bod chi wedi cysgu. Mi fasa'n llawar gwell i chi godi."

"O 'rarglwydd, 'rwyt ti rêl larwm. Bacha hi."

Ochneidiodd Megan ac ysgwyd ei phen. Bum munud yn ddiweddarach, clywodd Rhisiart Parri sŵn drws y cefn yn cau.

"Ledis Clyb faw," mwmiodd wrtho'i hun. "Panad a hel straeon yn nes iddi."

Lluchiodd ddillad y gwely oddi arno a gollwng ei draed yn araf dros yr erchwyn. Yn llafurus, tynnodd ei drowsus a'i wasgod a'i gôt wau dros y trôns hir a'r crys isaf a'r crys gwlanen a wisgai yn y gwely; yna safodd, gydag ymdrech, i fotymu'r trowsus. Dan ddal ei afael yn y pared ymlusgodd tua phen y grisiau. Pan gyrhaeddodd hanner y ffordd i lawr, daeth pensyfrdandod drosto a bu'n rhaid iddo eistedd. Diolchodd dan ei wynt o weld Dafydd yn ymddangos drwy ddrws y gegin fyw.

"Ydach chi'n iawn, Taid?"

"Ydw nen' tad."

"Dyna chi 'ta."

Cychwynnodd Dafydd yn ei ôl drwy'r drws.

"Y ... Deio. Aros lle'r wyt ti am funud, wnei di."

Gwenodd Dafydd.

"Iawn, Taid."

Cydiodd yr hen ŵr yn dynn yn y canllaw i'w halio'i hun i lawr gweddill y grisiau. Gwyliodd Dafydd ef yn simsanu mynd ar draws y gegin fyw yn fyr ei gam a chrwm ei gefn, ond gwyddai nad oedd wiw cynnig help iddo. O'r diwedd, ymollyngodd Rhisiart Parri'n un sypyn i'r gadair o flaen y grât.

"'Does 'ma ddim tân."

"Ydach chi'n rhynllyd? Mi ro i fatsen ynddo fo i chi. Mae Mam wedi gneud tân oer yn barod, ylwch."

"Mi fasa tân poeth yn brafiach."

"'Doedd fawr o bwrpas ei gynna fo cyn i chi ddŵad i lawr."

Gwyddai Dafydd fod raid i'w fam gyfrif pob ceiniog bellach, a'i dad yn ddi-waith ers pedair blynedd. Taniodd fatsen.

"Hidia befo."

"'Does arnoch chi mo'i eisio fo?"

"Mae hi'n reit gynnas yma."

"Wel 'dydi hi'n ddechra Mehefin, 'dydi?"

"Pam doist ti adra'n gynnar?"

"I adolygu."

"I be?"

"Swotio; dysgu ar gyfar yr arholiada. Dim gwersi pnawn 'ma."

"Hy! Wyt ti'n meddwl y g'nei di ddoctor?"

"Pam lai?"

"Thrystiwn i monot ti."

"O. Diolch yn fawr."

"Faint ddeudaist ti o golej sy 'i eisio?"

"Pum mlynadd."

"Tad moddion a'm gwarchod i!" Ysgydwodd yr hen ŵr ei ben. "Pwy sy am dy gadw di yno a dy dad ar y dôl?"

"Mi ga i grant os pasia i'n ddigon da i gael fy nerbyn."

"Hael yw Hywel ar bwrs y wlad."

"Mi gyfrannodd Nhad ddigon 'at bwrs y wlad pan oedd o mewn gwaith."

"Lle mae o heddiw? Welais i mono fo drwy'r dydd."

"Wedi mynd ar ôl job tua'r dre 'na. Hefo rhyw fildar."

"Mi aeth yn o gynnar."

"Do. Hefo fi pan eis i am yr ysgol."

"Chdi'n mynd â dy dad? Duw Duw, 'rydach chi'n rhyw betha tu chwynab! Sut medri di fforddio i redag car a dy dad yn methu?"

"Mi weithiais i am y car 'na, dalltwch! Bob gwylia ac ar nos Sadyrna. Welsoch chi fi'n jolihoetio? Deudwch y gwir rŵan."

"Naddo. 'Dwyt ti ddim yn hen jolpyn, mi ddeuda i hyrny amdanat ti. Ond rhyw hen dw-lal o job sy gen ti hefyd, yn dy ffansi drès."

"Be ydach chi'n ei feddwl?"

"Tendio ar fusutors 'te. Cario bwyd, yn dy fô-tei yn grand i gyd."

Lledodd gwên dros wyneb Dafydd.

"Pwy ddeudodd hynny wrthach chi?"

"Dy fam siŵr iawn."

"Sut basach chi'n teimlo petawn i'n deud wrthach chi mai tynnu peintia ydi 'ngwaith i?"

"Yn dy fô-tei?"

"Lle fel'na ydi'r *Bull*."

Chwarddodd yr hen ŵr.

"Callach o'r hannar, 'ngwas i, callach o'r hannar. Hynny'n rhy goman gan dy fam debyg! Ledis Clyb, myn uffar' i. Sut medrais i fagu'r fath hen drwyn, dywad?"

"Hei, chwara teg rŵan! 'Dydi hi ddim yn ormod o drwyn i edrych ar ôl yr hen ŵr ei thad."

"Hy, nac'di, ond mae hi'n ddigon pigog wrth y gwaith."

"Tewch. Ar ôl pwy mae hi'n tynnu, tybad?" Edrychodd Dafydd dan ei sgaffau arno.

"Ar ôl ei mam." Nodiodd Rhisiart Parri'i ben yn ddoeth. "'Dwaenaist ti mo dy nain, naddo?"

"Naddo."

"'Rwyt ti'n lwcus. Mi fuo raid i mi'i diodda hi am ddeng mlynadd ar hugian."

"Wel chawsoch chi ddim cam gan yr un o'r ddwy, mae'n rhaid, i fyw'n bedwar ugian."

"Ella wir. Ond mi dalith i dy fam edrych ar f'ôl i, wsti."

86

"O?"

"Hi geith y cwbwl 'te."

"O ia? Mae gynnoch chi dipyn o gelc, felly?"

"Be? O, wel, nac oes decini. Ond mae'r hen dŷ gen i, yn 'dydi?"

"Fydd hwnnw fawr o iws i neb. Mae o'n mynd â'i ben iddo'n disgwyl am brynwr."

"Be? Be ddeudaist ti?"

Gwelodd Dafydd fod yr hen ŵr wedi cynhyrfu ac edifarhaodd iddo fod mor fyrbwyll ag agor ei geg.

"Wel! 'Rydach chi yma hefo ni ers tair blynadd, cofiwch. Mae'r tywydd yn siŵr o adael ei ôl ar dŷ gwag."

Bu Rhisiart Parri'n dawel am ysbaid.

"Deio," meddai o'r diwedd, "ydi'r car 'na sy gen ti'n 'tebol i fynd i fyny gelltydd?"

"Ydi siŵr."

"Dos â fi i Dŷ'n Mynydd 'ta, y munud 'ma."

"Ond Taid, 'dydach chi ddim digon da..."

"Ddim digon da? Siŵr Dduw 'mod i'n ddigon da. Dos i nôl 'y nghôt a 'nghap i mi."

Newidiodd Dafydd ei dac.

"Mae gen i waith i'w 'neud."

"Hannar awr fyddan ni, hogyn. Mi 'neith deng munud yng ngwynt y môr les i dy frêns di, lle bynnag y cest ti nhw."

"O, o'r gora 'ta."

Cydiodd Dafydd yng nghôt fawr a chap pig yr hen ŵr o du ôl i ddrws y parlwr. Cafodd dipyn o drafferth i'w wisgo, a mwy fyth i'w hebrwng i'r car. O'r diwedd, gyda chryn strach, llwyddodd i'w osod yn y sedd flaen ac aeth ati i gau'i wregys diogelwch.

"I be mae eisio rhyw hen strodyr?"

"Mae'n rhaid i chi'i wisgo fo: dyna'r gyfraith."

"Ers pa bryd mae gynnoch chi betha ifanc barch i'r gyfraith? Malu seins a rhyw fisdimanars felly gwelais i chi."

"Prin 'mod i wedi 'ngeni adag yr ymgyrch arwyddion ffyrdd." Taniodd Dafydd y peiriant a'i chychwyn hi drwy'r giât.

"Peintio walia 'ta. Hefo'r tacla byddi ditha unwaith yr ei di i'r colej 'na. Yn 'dydw i'n dy 'nabod di? Peth od ar y naw dy fod di'n fodlon dawnsio tendans ar bobol ddiarth.''

"Ar y werin bydda i'n gweini, Taid, yn y bar cefn.''
Cyfeiriodd Dafydd drwyn y car i lôn bach y mynydd a dechrau dringo'r allt. "Er, fedra i ddim gwadu nad ydi gwledda'r goludog yn y 'stafall storgajio'n helpu i dalu fy nghyflog i. Mi fydd arna i angan hwnnw wrth fy nghefn i fynd drwy'r coleg. Mae Nhad a Mam wedi gorfod crafu llawn digon i 'nghadw fi yn yr ysgol dan rŵan, o dan yr amgylchiada.''

Cadw'i farn iddo'i hun a wnaeth Rhisiart Parri. Treuliodd weddill y siwrnai mewn tawelwch yn syllu ar yr olygfa o ffenestr y car. O'r diwedd, meddai:

"'Rydw i'n colli gweld y môr.''

"'Rydach chi'n colli Tŷ'n Mynydd hefyd, on'd ydach?''
Safodd y car o flaen llidiart y tŷ.

"Mae 'na dwll yn y to,'' meddai Rhisiart Parri. "A mae 'na ryw ddiawlia'd wedi bod yn malu'r ffenestri.''

"Ella mai'r gwynt ddaru. Mi wyddoch eich hun mor stormus ydi hi i fyny'n fan'ma pan fydd hi'n chwythu o'r gogladd.''

"Ia, gwn. O bosib dy fod di'n iawn. 'Drycha, mae'r hen bwll bron wedi sychu. Fan'na byddwn i'n dal penbyliaid ers talwm. Ac ar y graig yn fan'cw y...''

"...'syrthiais i a thorri 'mraich pan oeddwn i'n ddeg oed',''
gorffennodd Dafydd gydag ef.

"Ddeudais i wrthat ti o'r blaen, dywad?''

"Naddo, Taid,'' gwenodd Dafydd. "Eich mwstash chi fydd yn ysgwyd yn y gwynt bob tro y down ni yma.''

"Duw, mae'n bechod gweld yr hen dŷ, 'chan. Well i ni drio mynd i mewn, dywad?''

"'Dydi'r goriad ddim gynnon ni.''

"Ydi, mae o. Fydda i byth yn ei dynnu o o bocad fy wasgod.''

"Ond fedrwch chi byth gerddad, Taid.''

"Na fedra i? Aros di i mi gael dangos i ti. Tyrd rownd i fan'ma i roi help llaw i mi o'r siandri 'ma.''

Aeth Dafydd i agor y drws iddo.

"'D a' i byth yn ddoctor hen bobol os ydyn nhw i gyd mor styfnig â chi," meddai wrth gynorthwyo'i daid i straffaglio o'r car.

"Diolch i'r Tad am hynny, yn ôl fel 'rwyt ti'n trin dy daid," atebodd Rhisiart Parri fel bwled.

Yn boenus o araf, ymlusgodd y ddau ar hyd y llwybr at ddrws ffrynt Tŷ'n Mynydd. Ymbalfalodd Rhisiart Parri drwy drwch o ddillad i gyrraedd poced ei wasgod er mwyn rhoi'r allwedd i Dafydd. Datglôdd yntau'r drws, a chynorthwyo'r hen ŵr yn ofalus dros y rhiniog. Yna arweiniodd ef i eistedd ar lintel isel ffenestr y talcen.

"Mi ddo i... ataf fy hun... mewn munud," meddai Rhisiart Parri'n fyr ei wynt. "Yn'dydw i... fel hen gi defaid... yn dyhyfod."

"Be ddigwyddodd i'r dodrefn?" gofynnodd Dafydd.

"Eu gwerthu... pan ddois i acw. 'Dwyt ti ddim yn cofio? Dy fam ddaru fynnu 'mod i'n gneud."

"A chitha'n deud nad oedd gynnoch chi ddim celc."

"Mi ges ryw fymryn am rai ohonyn nhw gan y petha antîcs 'ma fydda'n stwffio'u trwyna drwy'r drws byth a hefyd. Dy fam gafodd y pres. Mi brynodd wely i mi, a gwastraffu'r gweddill ar gant a mil o ryw geriach di-alw-amdanyn."

"O ia, 'rydw i'n cofio rŵan. Ond mi oedd arni hi ddigon o angan rhai o'r petha brynodd hi, wyddoch chi. Mi gafodd warad â'r hen soffa honno ddaru roi o dan..."

"...dan y beth drwynsur honno o'r Ledis Clyb?" Chwarddodd Rhisiart Parri dros y lle. "Ia, un dda oedd honno. Ei thin ar lawr a'i thraed yn yr awyr a dy fam fel iâr ori uwch ei phen hi."

Edrychodd allan drwy'r ffenestr i gyfeiriad y môr a'r pentref, ac o ganol y rhialtwch, ciliodd yn ddisymwth i'w fyd ei hun. Gwyliodd Dafydd ef yn dawel am rai munudau, cyn gofyn:

"Be hoffach chi'i weld yn digwydd i'r hen dŷ, Taid?"

Tynnodd Rhisiart Parri'i feddwl yn ôl i'r presennol.

"Gweld dy fam a dy dad yn dŵad yma. Ond ddôn nhw

ddim. Ddaw neb arall chwaith: mae o'n rhy ddinab-man."

"Werthach chi o'n dŷ ha'?"

"Wnaet ti ddim, mae'n siŵr."

"Na wnawn."

"Pam lai? Mi wnâi i wenoliaid."

"Coga, nid gwenoliaid. Fasan nhw ddim yn perthyn."

"Ond mi gâi'i drwsio. Mi fydda o fudd unwaith eto."

"Mi fydda o fwy o fudd petai rhywun yn gneud ei gartra ynddo fo."

"Dyna ddeudais inna; y leciwn i weld dy dad a dy fam yma."

"Pam nad awgrymwch chi hynny iddyn nhw?"

"Wel ar f'engoch i! Ti'n deud mai fi sy'n byw yn yr oes o'r blaen? O hogyn call 'rwyt ti'n medru bod yn gythreulig o ddwl."

"Mi gaen grant..."

"Mi gei ditha grant tua'r colej 'na hefyd, ond gweithio i hel chwanag 'rwyt ti. Mae dy dad ar y clwt, yn dda i ddim i neb yn hannar cant."

"Nes i'w drigian, Taid."

"Mi fedra dynnu peintia cystal â chditha."

Gwenodd Dafydd.

"A fynta'n hel pres yn y capal?"

"Duw Duw, mi fasa rhywun yn meddwl ei fod o'n bregethwr sasiwn! Peth arall, sut doen nhw yma ar ôl i ti fynd â dy siarabang i'r colej? Injan ar y ferfa?"

"Wel, sut byddach chi'n dŵad yma ers talwm?"

"Cherddith pobol ddim heddiw. Pawb fel tasa ganddyn nhw ddwy goes bren."

"Be 'newch chi hefo'r tŷ felly?"

"Ei werthu o i'r cynta ddaw, os daw 'na rywun byth. Be arall fedra i 'neud? Dyna 'neith dy fam ar ôl i mi fynd. Mi geith gythral o sblash os daw 'na Sais go gefnog heibio. Be 'naet ti hefo fo?"

"Aros i gael cynnig gan rywun lleol."

"Ac os na chaet ti un?"

"Ei gadw fo i mi fy hun."

"Er bod arnat ti angan y pres?"

"Mi weithia i am fy mhres."

"Os bydd gwaith i'w gael."

"Tra pery'r hil ddynol, mi fydd angan meddygon, Taid. Unwaith y pasiwn i'n ddoctor mi fedrwn drwsio Tŷ'n Mynydd."

Syllodd Rhisiart Parri'n feddylgar ar ei ŵyr, yna meddai:

"Trwsio pobol bydd doctor, nid tai, a mae'n rhaid dal y ddau fel ei gilydd mewn pryd. Mae gen ti bum mlynadd arall cyn y pasi di'n ddoctor, cofia. Ond phasi di ddim o gwbwl â dy ben yn y cymyla yn fan'ma. Rŵan sodra dy draed yn gadarn ar y ddaear a dos â fi i'r dre'n reit sydyn i ti gael mynd yn ôl at dy lyfra. Mi fasa'n resyn amddifadu'r wlad o sbeshialist mwya'r ganrif."

"I'r dre ddeud'soch chi?"

"Ia, i'r dre. Mae gen i fusnas yno."

Gwyddai Dafydd nad oedd ddiben iddo holi cymhellion yr hen ŵr, felly gyrrodd y car mewn distawrwydd hyd at gyrion y dref. Yna gofynnodd:

"Lle rŵan?"

"Offis Jôs Twrna."

Ofnai Dafydd y byddai i'r siwrnai feichus i fyny grisiau swyddfa'r cyfreithiwr orffen yr hen ŵr, ond wedi llwyddo i'w roi i eistedd cafodd orchymyn swta:

"Rŵan dos, a thyrd i fy nôl i pan gurith Mistar Jôs y ffenast arnat ti."

Edrychodd Dafydd yn amheus ar y cyfreithiwr. Gwelodd hwnnw'n nodio'i ben arno, felly aeth allan i'r car i ddisgwyl.

Yn y swyddfa, bwriodd Rhisiart Parri i'w destun heb unrhyw ragymadroddi cymdeithasol:

"Mistar Jôs, mae arna i eisio newid fy 'wyllys."

"Os dyna'ch dymuniad chi, Mr. Parri."

"Dyna 'nymuniad i, Mistar Jôs. Tŷ'n Mynydd i fynd i Deio."

Rheolodd y cyfreithiwr ei aeliau cyn iddynt gychwyn i gyfarfod â'i giw-pî.

"Yn hytrach nag i'w fam fel ar hyn o bryd," meddai'n ddifynegiant.

"Mae'i fam o wedi pluo digon arna i'n barod, a wedi gwasgaru'r plu yn y gwynt. Ella na fydd y tŷ fawr o werth i'r hogyn ond fo sy i'w gael o."

Pan gyrhaeddodd Rhisiart Parri a Dafydd adref, yr oedd yr hen ŵr wedi ymlâdd. Ni chafodd lawer o gydymdeimlad: parodd pryder ei ferch iddi arthio ar y ddau ohonynt.

"Be ydi'ch meddylia chi'ch dau'n mynd i grwydro am oria fel hyn? Fyddwch chi'n dda i ddim am ddyddia rŵan, Tada. A chditha, wyt ti'n disgwyl pasio d'ecsams drwy hel dy draed? Lle buoch chi, neno'r nefoedd?"

"Yn ... diogelu'r ... dreftadaeth, Megan," ochneidiodd Rhisiart Parri.

"Treftadaeth y cebyst! Am be 'rydach chi'n paldaruo, deudwch? 'Rydach chi'n siarad yn debyg i'r sgolar ceinioga-dima 'ma aeth â chi i gymowta."

"Debycach na feddyliaist ti 'rioed, mei ledi," gwenodd Rhisiart Parri, "debycach na feddyliaist ti 'rioed!"